9割の腰痛は自分で治せる

坂戸孝志

中経の文庫

推薦文　「あなたの腰痛は治ります」

私は、長年スポーツ選手のメンタル・トレーニングを指導してきました。陸上競技、各種格闘技、プロ・ゴルファー……彼ら、彼女らは、トップ・アスリートであるほど、故障を抱えて戦っています。

私自身、空手道を指導していますが、無理がたたって、ここ数年は腹筋のトレーニングなどもってのほか、踏み込みさえできないほどの腰痛に悩まされました。大学機関などとの提携による自律神経や血流を改善する代替医療物質の研究では学会発表もしていますし、メンタル・トレーニング、メンタル・ヘルスといった心のメンテナンスや、栄養バランスの改善指導はできますが、腰痛だけは手に負えませんでした。何しろ、誰一人として私の腰痛を治してくれる人、治せる技術と出会うことはなかったのですから。

そんな中、インターネットで見つけたのが、この「腰痛緩消法」です。

「どうせ……」と思いつつ、「ひょっとしたら……」と期待しつつ、一〇分後、痛みは半減。三〇分後、踏み込み、前蹴り、回し蹴り。

ある意味、これは異常な出来事でした。

以降、空手の弟子をはじめ、腰痛持ちのプロ・ゴルファー諸氏にも、どんどん紹介しています。何しろ、私の腰痛が治ったのですから。

この「腰痛緩消法」の素晴らしいところは、「治る」のは当然のこと、「自分で行なう」点です。痛みが消えなければ、やり方がまちがっているだけ。正しい「やり方」の指導を受ければよいのです。

現在、私の組織するＮＰＯ法人ではこの「腰痛緩消法」を推薦しています。理由は、前述したように「治る」からだけではありません。「効果が検証できる技術体系」だからです。臨床試験でも、血液検査をはじめとして確実に変化を確認できます。それらの結果をまとめ、学会発表も間近です。

ですから、保証します。これは、最高の腰痛対策メソッドです。

特定非営利活動法人 日本健康事業促進協会　理事長／生理学博士　橋本政和

はじめに

もし、あなたが抱えている**つらい腰痛が100%消える**としたら、どんな生活を送りたいですか？

腰痛が消えれば、痛みによる多大なストレスから解放されます。痛みでイライラすることが多かったという方も、穏やかな気持ちで毎日を過ごすことができます。したがって、不満や愚痴《ぐち》を言うことも減り、家族や友人、恋人ともよりよい関係を築くことができるでしょう。

仕事にも集中でき、成果を出せるようになるでしょうし、洗濯や炊事などの家事も、今までより楽にこなせるようになります。

また、やりたくてもできなかったスポーツに挑戦することもできます。

治療に費やしていた時間とお金を、趣味に費やすこともできるでしょう。

好きな旅行にも、痛みの不安を抱えることなく思い切り出かけられます。

そして何より、病院に通い続け、薬を飲み続ける不安がなくなります。

本書では、病院で、椎間板《ついかんばん》ヘルニア、脊柱管狭窄症《せきちゅうかんきょうさくしょう》、腰椎分離症《ようついぶんりしょう》、腰椎すべり症、坐骨神経痛《ざこつしんけいつう》、腰痛症、関節変形症……などと診断された方でも、痛みが消えていく方法をご紹介します。

そのために、本書では主に次の四つを柱として説明をしていきます。

- 本当の腰痛の原因
- 腰痛の原因を根本的になくす「腰痛緩消法《ようつうかんしょうほう》」
- 腰痛にならないための日常生活
- ギックリ腰の緊急対処方法「3分腰痛解消法」

忙しい現代社会では、腰が痛いからといって、いつまでも安静にして休んでいるわけにはいきません。

私は一八歳のときから一四年間、腰痛と格闘し続けました。「腰痛緩消法」は、**腰痛の原因を調べ、筋肉や骨格を理解し、そして自ら克服法を発見して実践した、腰痛を根本的に治すためのただ一つの方法です。**

どんなに痛みがひどくても、三日程度で日常生活に支障がない状態になり、一〇日程度で走り回ることができるようになり、一カ月後には「もう腰痛に悩むことはなくなった」と実感していただけるレベルを目指した治療法です。

ギックリ腰になったときの緊急対処方法では、動けないほどのギックリ腰になってもすぐに痛みが軽くなり、翌日には仕事ができる程度にまで回復する方法をご紹介しました。

本書は、読者の方々に二度と腰痛に悩まされることのない毎日を送っていただくことを目的として執筆しました。

昔の私と同じように、腰痛で苦しむ人を、一人でも多く笑顔にしたい。
今の私と同じように、腰痛に悩まされず、毎日楽しく生活してほしい。

これが私の願いです。

誰にも頼らずに、腰痛は自分で克服できます。
どうぞご安心ください。

一人でも多くの方が、腰痛の苦しみから解放され、幸せな毎日を過ごされることを心より願っております。
腰痛に苦しむ人のお役に立つことが、私の使命と感じています。
この本を手にしてくださった方と、今までご協力いただいたすべての方に感謝します。

坂戸　孝志

9割の腰痛は自分で治せる　目次

第2章 病院へ行っても腰痛が治らない本当の理由

第3章 腰痛は、原因がなくなれば必ず治る

第4章 腰痛を治す世界唯一の方法「腰痛緩消法」

第5章 腰痛になりやすい人、なりにくい人

第6章 体の痛みの原因と仕組み

付録 ギックリ腰の応急処置

※本書は「中経の文庫」のために書き下ろされたものです。

本書での言葉の定義

【腰痛】

腰痛は、腰・でん部・足先までの下半身の痛みを指します。

【痛み】

痛い、しびれる、冷える、突っ張る、重い、だるい、むくみの症状を、総称して「痛み」と表現します。

【筋肉が「軟らかい」と「柔らかい」のちがい】

筋肉が軟らかい＝筋肉の無緊張状態

筋肉が柔らかい＝今までよりやわらかくなった状態

序章

「痛みが消えた」＝「治った」のではない

腰痛に限らず、痛みを訴える患者さんのほとんどは、痛みが消えた時点で「治った」と口にします。

病気が治る。怪我が治る。

しかしこの「治る」という言葉は、人によって受け取り方がちがいます。

私は痛みの専門家ですから、痛みを伴う症状について「治る」とは何かを、最初に記載しておきます。

患者Aさん：「水中ウォーキングで治るんだよ。だから毎日通っている」

患者Bさん：「あの整体へいけば治るんだよ。だから毎月通っている」

患者Cさん：「手術してから一カ月は治っていたんだけど」

Aさん、Bさん、Cさんの言う「治った」とは、どんな意味を指すのでしょう。

実はこの三人、私から言わせると「治った」のではなく、「一時的に改善した」だけです。

驚くことに、中には次のように言う患者さんもいます。

患者Dさん：「ゴルフをやると痛くなるんだけど、やらないと治っているんだよね」

患者Eさん：「三日間重労働をすると、自分だけ痛くなる。でも鍛えたら治った！」

Dさん、Eさんは、本当に治っているといえるのでしょうか？

Dさん、Eさんの場合、まちがいなく筋力不足からの筋肉痛といえるでしょう。

原因があるから痛みを感じるのであって、私は、その原因がなくなることを「治る」と考えます。

痛みが消えたから治ったということではありません。

たとえば、虫歯が痛み出している場合、痛み止めを飲めば痛みは止まるでしょう。しかし虫歯自体の治療はしていませんから、虫歯が治っているわけではなく、単に薬が効いているから痛みを感じないだけです。

この場合、まちがいなく「治っていない」のですが、痛みは消えています。

また、風邪などの場合はウィルスが原因ですが、風邪を治す場合はウィルスを殺す、もしくは体外に排出しない限り、治ったということではありません。

風邪をひいたときに病院に行くと、解熱剤や咳《せき》止めを処方される場合がほとんどですが、熱が下がっても、咳が止まっても、体内にウィルスがいる限り治ったわけではないのです。

これは、腰痛でも同じことです。

腰痛の場合、病院で診察を受けた場合のほとんどが、注射、鎮痛剤、湿布などの痛み止め、筋弛緩《しかん》剤（筋肉を柔らかくする薬）や、血液の循環をよくする薬を処方されます。

たとえば「椎間板ヘルニア」と診断された場合、ほとんどの病院で痛み止めと筋弛緩剤、血液の循環をよくする薬が処方されます。しかし、椎間板が飛び出して痛みが出ているのが痛みの原因であるとすれば、痛み止めで椎間板がへこむわけでもなく、また、筋弛緩剤で椎間板がへこむのでもなく、血行をよくしても椎間板はへこみません。

注射や鎮痛剤のように麻酔を使って痛みが一時的になくなった場合でも、麻酔が切れたらまた痛み出します。だからまた麻酔を使う、麻酔が切れたらまた痛み出す、だからまた麻酔を使う……という無限の負のスパイラルに突入してしまいます。

治るということは、原因を取り除く・原因をなくすことであり、改善する程度のことではありません！

「治る」、「治った」ということは、〝原因がすべてなくなった時点〟で治るということなのです。

一八歳で事故にあい、寝たきりになった私の一四年間

いったい私が何をしたというのでしょう。一八歳でこれほどにつらく、先の見えない人生が待っているとは思いませんでした。

一八歳のとき、事故にあい、腰を強打しました。

会社勤めをしていたため、腰の痛みに耐えながら無理をして働いた二週間

後、まったく動くことができなくなりました。

そして、総合病院に担ぎこまれ、整形外科で診断を受けました。

担当医師は「椎間板ヘルニアですが、こんなに動けなくなることはない」と理解できない言葉を私に告げ、そして動けなくなっている原因を一切告げないまま、激痛の走る私の体に数十本の麻酔注射をして、病院から追い返しました。

これが、私が腰痛と格闘し続けた一四年の、始まりです。

体が自由に動かないと、誰かの助けがない限り生きていけません。

腰痛で苦しんだことのある方ならきっと、ほかの人にはなかなかわかってもらえないつらさを体験されていると思います。

私の場合、家族に負担をかけ、迷惑をかけていたことが、自分の体の痛みより一番つらいことでした。

特に、トイレのたびに肩を貸し、立てない私を引きずってトイレまで運んでくれたことは今でも忘れることができず、家族には感謝してもしきれません。

迷惑をかけることを最小限にするために、オムツをして生活していたこと、トイレに三日間座ったまま生活していたこともあります。トイレにいたほうが、家族に迷惑をかけることもなく、私にとってはずっとずっと気が楽でした。

一八歳からの一〇年程度は、寝たきり状態が永遠と続いたわけではなく、妊婦用の毛糸の腹巻きを付け、その上に三つのコルセットを締め付けながら、痛みに耐えて会社にも行っていました。

常にきつくコルセットを巻いているので、皮膚がこすれてすり傷がひどくなり、非常に痛く、ひどく膿《う》み、腰と腹巻が一体化しているような状態でした。今でもその当時の傷跡がアザとして残っているほどです。

コルセットでできたすり傷のおかげで、「これで腰の痛みを少しごまかすことができた。ラッキー」と、誰にも理解していただけないような感覚になることも多く、あのときは少し精神的に不安定になっていたのではと、昔のことを思い返すことがあります。

仕事をしないと生活ができないため、動けないときは休み、少し動けるようになると動ける範囲での仕事をする生活です。休みが多くなり、会社に迷惑をかけ続けていたため、二一歳のときには会社を辞めることになりました。

その後、細々とですが、自分で事業を興し、動ける範囲で仕事を行ない、なんとか生活ができるようになりました。

腰痛を自分で治す方法を見つけた！

このように、一八歳から一四年間、私は腰痛に苦しんできました。日常的にぎっくり腰を繰り返し、たくさんの病院や治療院を受診しましたが、治してくれるところはどこにもありませんでした。

病院であらゆる検査を行ない、病名をつけてもらい、痛み止めの薬を処方されましたが、根本的な治療はしてくれません。

接骨院や整体、カイロプラクティックなどの治療院で施術《せじゅつ》を受けると、その場では多少よくなった感じがしても、一五分もすれば、痛みが元通りになってしまいます。

一四年の間、一カ月に一度以上のぎっくり腰を繰り返し、どこの治療院を渡り歩いても、腰痛が治ったことは一度もありませんでした。

あそこの治療院がいいと聞けば、行ってみる。結果がだめでも、ちがう噂を聞けば行ってみる。この繰り返しでした。

家庭の事情もあり、ぎっくり腰になっても、少し動けるようになると、コルセットで腰の皮がむけて出血している体に鞭打って、無理をして仕事を続けていました。

「この痛みと一生、つきあわなくてはいけないのだろうか……」

誰も私の腰痛を根本的に治療することができず、大きな不安を感じました。

そして「誰もこの腰痛を治してくれないなら、自分で治すしかない」という考えにいたりました。

私は一八歳のころから医学書を読み、人間の体の構造や痛みを感じる物質などの勉強をしてきました。

三〇歳のころには、二日に一回ぎっくり腰になるという、今までにない状態にまで悪化していました。一般的に言う〝寝たきり状態〟です。

このとき、これからの人生に危機を感じ、本気で腰痛を治す決心をすることになったのです。そして再度、痛みと痛みの仕組みについて、一から学び直しました。

そして、一年程度が経過。ついに、自分なりに痛みの原因を特定したのです。

痛みの原因は、「筋肉の緊張」である。
そして腰痛の原因は、「腰の筋肉の緊張」である。

一八歳からの一二年間で、やっと痛みの原因を特定できた瞬間でした。

診断名：椎間板ヘルニア

氏名 青柳 仁美　年齢 51才
住所 埼玉県川口市　職業 パート

今ではあの痛みはなんだったんだろうと思います。

1年位前から左足に痺れがあり、おじぎをした時おしりからモモの裏側に痛みが走るようになりました。病院で椎間板ヘルニアと診断を受け、牽引に2ヶ月程通ったのですが効果を感じられず、次第に今まで経験した事のない痛みが左足に起きるようになりました。朝、足をひきずりながら台所に立つ事が辛く、何か他に治療法がないか探して腰痛克服バイブルに出会いました。

学習会に参加したその日に痺れが消えるのを感じ、自宅で腰痛緩消法をやっていくうちに徐々に痛みも減り、1ヶ月後はまったく痛くなくなりました。

今は痛みのない生活で、ぐっすり眠れる幸せに感謝しています。

腰痛で悩んでいる人には絶対教えてあげたい方法です。

第1章

本当の原因を知ったとき、痛みから永遠に解放される

その痛みと一生つきあいますか？

「どうして腰痛の原因がわからないの！」

多くの人は、原因がわからないまま腰痛に悩まされます。ひどいときには寝返りもできないほどつらく、ギックリ腰になると動けない状態にまで悪化するのに、その原因がわからないのです。

怪我、事故などでの切り傷・打ち身、また、ウィルスなど原因がはっきり特定できる痛みであれば、医療機関で検査をすればわかります。

しかし、検査では異常がなかったり、痛みの根本原因とはいえない「椎間板ヘルニア」や「脊柱管狭窄症」などの診断を受ける人が、腰痛で悩む人の大半だと思います。

腰が痛いと、自由に動くことができません。仕事や家事にも支障をきたします。

それだけ本人にとっては大変なことなのですが、腰痛の経験がない人に腰痛のつらさを話しても、あまりわかってはもらえません。

体が変形したり、怪我をして出血していれば、誰が見ても痛そうに見えますが、腰痛の場合は目に見えないものですから、どれほど痛くてつらいのかは本人にしかわからないのです。

腰痛で何日も仕事を休んでいたら、上司から「腰が痛いくらいで仕事を休むな！　やる気あるのか！」と怒鳴られ、そのうち職場でのあなたの席はなくなってしまうかもしれません。

日常生活において、腰痛のために失うチャンスと経済的損失は計りしれません。

このつらさが、今後の人生でずっと続くと思うと、ぞっとしてしまいます。

もう、そんな生活とはお別れしましょう。

痛みを感じとるのは神経があるため

人は痛みを感じます。**痛みは、なぜ感じるのでしょうか。**今さらなんでそんなこと聞くの？　と思うかもしれませんが、腰痛を根本から治すために、まずは痛みについて理解を深めましょう。

人は痛みを、神経の神経終末（先端・末端）で感じとっています（図1参照）。

少々専門的になりますが、神経の神経終末で痛みとして感じとる物質は、乳酸、ブラジキニン、蛋白分解酵素、セロトニン、ヒスタミン、カリウムイオン、アセチルコリンなどです。

坐骨《ざこつ》神経痛、肋間《ろっかん》神経痛などという言葉がありますね。坐骨神経痛は坐骨

図1

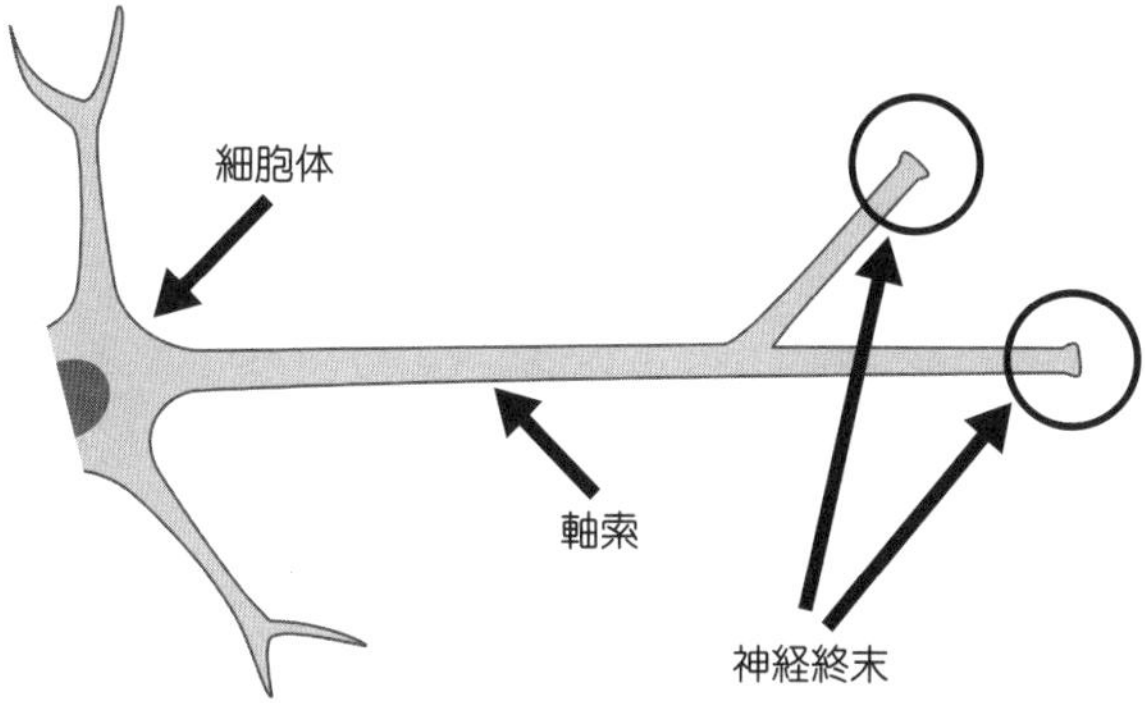

神経の周辺に痛みがあり、肋間神経痛は肋骨の周辺に痛みがあるということです。

しかし、神経は痛みを感じとることはできても、痛みを外に出すことはできません。

意外に思われるかもしれませんが、**痛みを感じとる神経がある場所は、筋肉です。そのほか、靭帯《じんたい》、腱《けん》、脳や内臓に関連する膜などにもあります。**体の伸縮できる部分にあると考えると、わかりやすいかもしれません。

ですから、**原因はわからないけれ**

ど痛みを感じる、というときは、筋肉など神経のある場所に何かしらの異常があると考えられます。

反対に、痛みを感じとる神経のない場所は、骨、椎間板（脊柱の骨の間の円形の軟骨）、軟骨、毛、つめなどです。

骨折したときの痛みは、骨そのものではなく、骨折した部位の周辺の筋肉が断裂したりして生じます。また、毛やつめの細胞は先端まで生きていますが、切っても痛みはないでしょう。

椎間板は年齢とともに誰でも減りますが、**椎間板自体が痛みを感じることはありません。**また、軟骨が減っても痛みは出ず、軟骨が完全になくなり、骨と骨が接触しても、痛くはなりません。

しかしながらこういった場合に痛みを感じるのは、それをカバーしようとして、まわりの筋肉に負担がいくからなのです。

筋肉の中では何が起こっているの？

怪我や事故による切り傷、うち身、また、ウィルスなどの原因がはっきり特定されている痛みを除けば、痛みやしびれは、筋肉の緊張で起こります。

つまり、**「痛み＝筋肉の緊張」**なのです。

筋肉の緊張とは、筋肉が硬くなっているということです。

筋肉が緊張していない場所は、お

図2

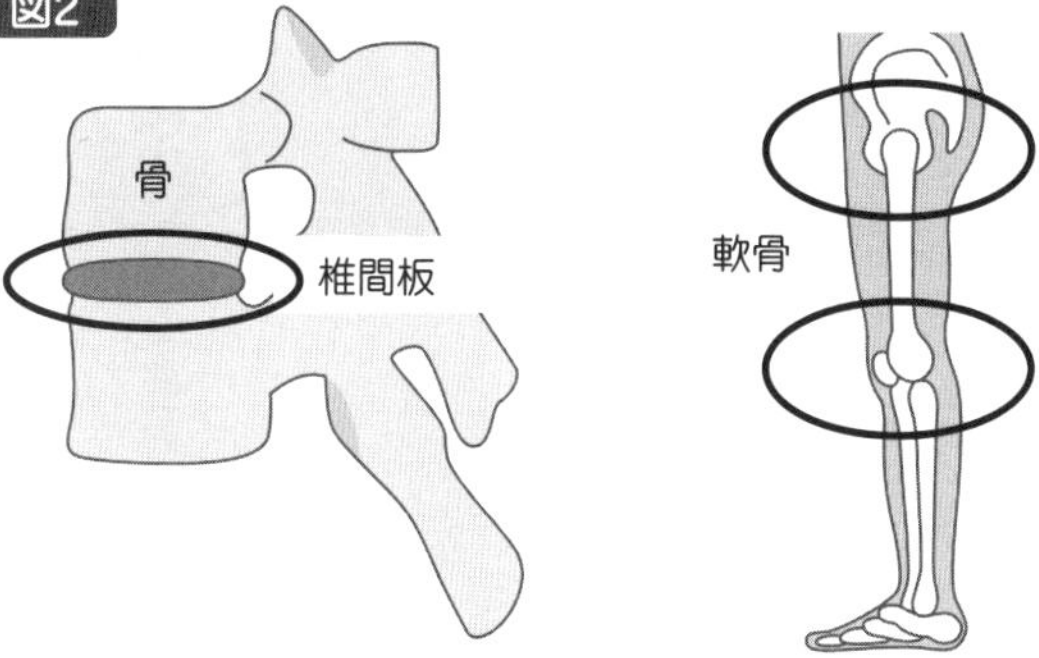

痛みを感じとる神経がないので
痛みを感じることができない！

尻のタプタプしているところや二の腕などです。これらは脂肪と思われる方がいますが、脂肪は筋肉内に含まれています。

痛みが出る、つまり筋肉が緊張すると、筋肉内にある血管や神経が圧迫されます。そして、次の三つのことが起こるのです。

① 血管の圧迫による血行不良
② 神経の圧迫による伝達機能の低下
③ 筋細線維間の障害

最初の二つについて、簡単に説明しましょう。三つ目の説明は、専門的すぎて説明するとかえって難しくなるので、本書では省きます。

1 血管の圧迫による血行不良

筋肉が緊張すると、血行不良が起こり、痛み、しびれ、冷え、つっぱり、だるさ、むくみなどの症状が出てきます。

痛み、しびれ、つっぱりは、血行が悪くなることで、筋肉への酸素の供給が十分に行なわれなくなることで起こります。

冷えは、血行不良により各部位の体温が低下して感じます。

だるさは、血行が悪くなることで、各細胞に栄養が行き届かない場

図3

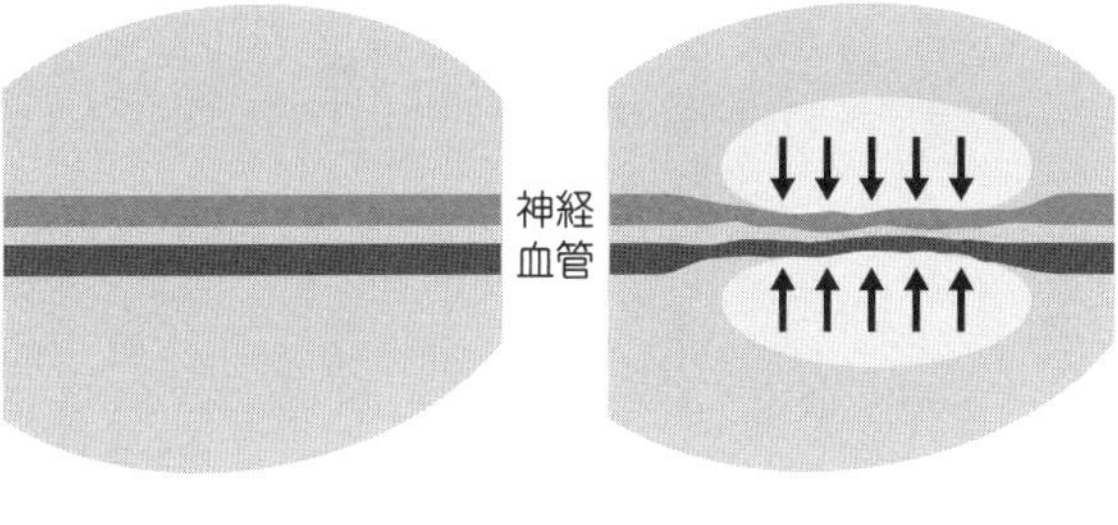

合に感じます。栄養が筋細胞に届かないと筋機能が十分に働かず、運動障害（硬くなる）が起こる場合もあります。

2 神経の圧迫による伝達機能の低下

筋肉が緊張して筋肉内部神経が圧迫されると、神経の伝達機能が低下します。

伝達機能が低下すると、脳は、筋肉が運動しているときでも、睡眠時（筋肉が休息している状態）だと判断してしまうのです。

また、**体を動かす筋肉である骨格筋に、間欠跛行《かんけつはこう》が起こります。**間欠跛行とは、動くと痛くなり、休むと痛みが消える状態のことをいいます。

筋肉が緊張すると、このようにさまざまな症状があらわれてきます。

筋肉が緊張すると起きる二つの弊害について説明しましたが、わかりにくいと感じられたら、**「筋肉が緊張すると、筋肉内の血管や神経が圧迫されて、痛みが出る」**というように理解してください。

※「運動障害」と「運動麻痺」のちがい
運動障害……痛みが伴う、伴わないにかかわらず、関節が固まったような感じで動きづらい。関節の固まった感じがなくなれば、動く状態を指す
運動麻痺……痛みがなく動かない状態であり、なおかつ力が抜け関節がぐらぐらして脱力状態である。運動機能の停止状態を指す

筋肉が緊張する三つの原因

筋肉が緊張すると、さまざまな症状が出てくるとお話しました。
それでは、筋肉が緊張してしまう原因とは、いったい何なのでしょうか。
それは、次の三つです。

① 筋肉を動かすことで緊張する
② 筋肉を動かさないために緊張する
③ 骨格の歪みによって緊張する

※薬の副作用でも緊張しますが、本書では省きます。

①筋肉を動かすことで緊張する

筋肉を緊張させる原因、つまり痛みの原因は、老廃物、乳酸、カルシウム、ブラジキニン、蛋白分解酵素です（以後、これらを総称して、比較的なじみのある「乳酸」と表記していきます）。

緊張した筋肉が血管を圧迫すると、酸素の供給が不足し、乳酸が発生します。酸素が不足すると細胞も破損し、ブラジキニンや蛋白分解酵素が生じるのです。

さて、この①筋肉を動かすことで緊張する、とはどういう状況でしょう？

これは、いわゆる筋肉痛の状態です。

筋肉を筋力以上に動かすと、血流が不足し、筋肉への酸素供給が不足します。すると、**老廃物や乳酸が筋肉内からうまく排出されずに筋肉が緊張し、痛みとして感じるようになる**のです。

② 筋肉を動かさないために緊張する

筋肉を動かすと緊張するのに、動かさなくても緊張するの？　と思われるかもしれませんね。

筋肉を動かさない状態が長く続くと、カルシウムが筋肉内に滞り、これが筋肉を緊張させるのです。カルシウムは排出されにくく、筋肉内に滞るため、いつまでも筋肉は緊張し続けます。

緊張した筋肉は伸縮しにくいため、その周辺の筋肉はそれをフォローするために今まで以上の運動を必要とされ、自分たちも緊張していきます。こうして、緊張する筋肉の範囲（体積）は、どんどん大きくなります。

痛みは筋肉の緊張ですから、緊張した筋肉が多くなれば、痛みも増えます。まさに悪循環です。

また、**老廃物や乳酸などは、筋肉が伸縮することで、筋肉から排出されま**

す。しかし、筋肉の緊張が激しいと筋肉は伸縮できず、これらを正常に排出できなくなっていきます。

筋肉を動かさないために起こる緊張状態が見られるのは、ほとんどが腰部です。図４のＡの部分が、動かさずに硬くなった筋肉、Ｂの部分が、動かして硬くなった筋肉です。

動かさずに硬くなった筋肉は、寝たきり患者でない限り、１００％、腰部だけにあるといっていいでしょう。

図4

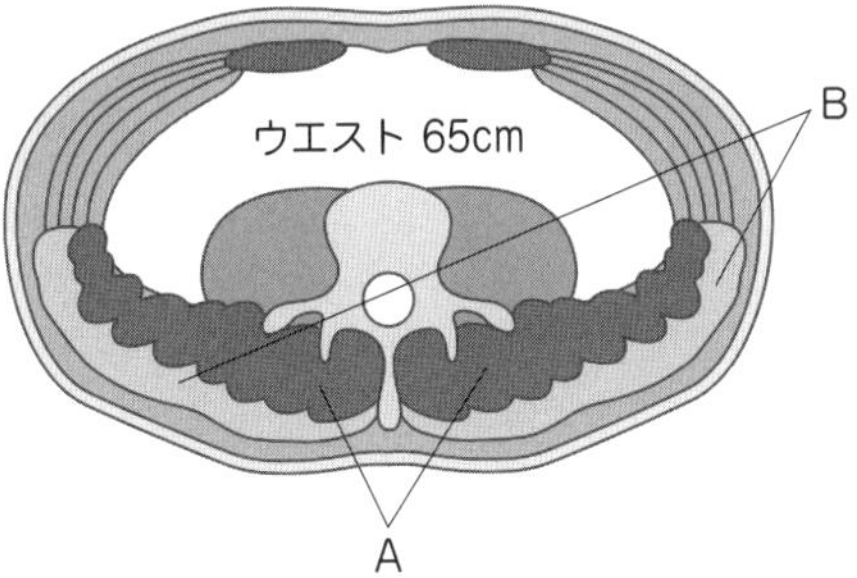

③骨格の歪みによって緊張する

これについては、骨盤周辺を例にしてお話しましょう。

痛みの原因は筋肉の緊張とお伝えしていますが、**筋肉は、緊張すると縮みます。**

腰部内の筋肉が緊張して縮むと、骨盤の腸骨《ちょうこつ》という骨が、上にズレたりねじれたりします（図5参照）。

一般的に、この状態を**「骨盤が歪む」**と表現しています。

このとき、仙骨と腸骨の間に仙腸関節があり、仙腸関節周辺の筋肉や靭帯《じんたい》は、これ以上のズレを防止するために、耐える力を働かせます。この力を働かせ続けると、①の筋肉痛と同じ状態になり、痛みが出てくるのです。

図5

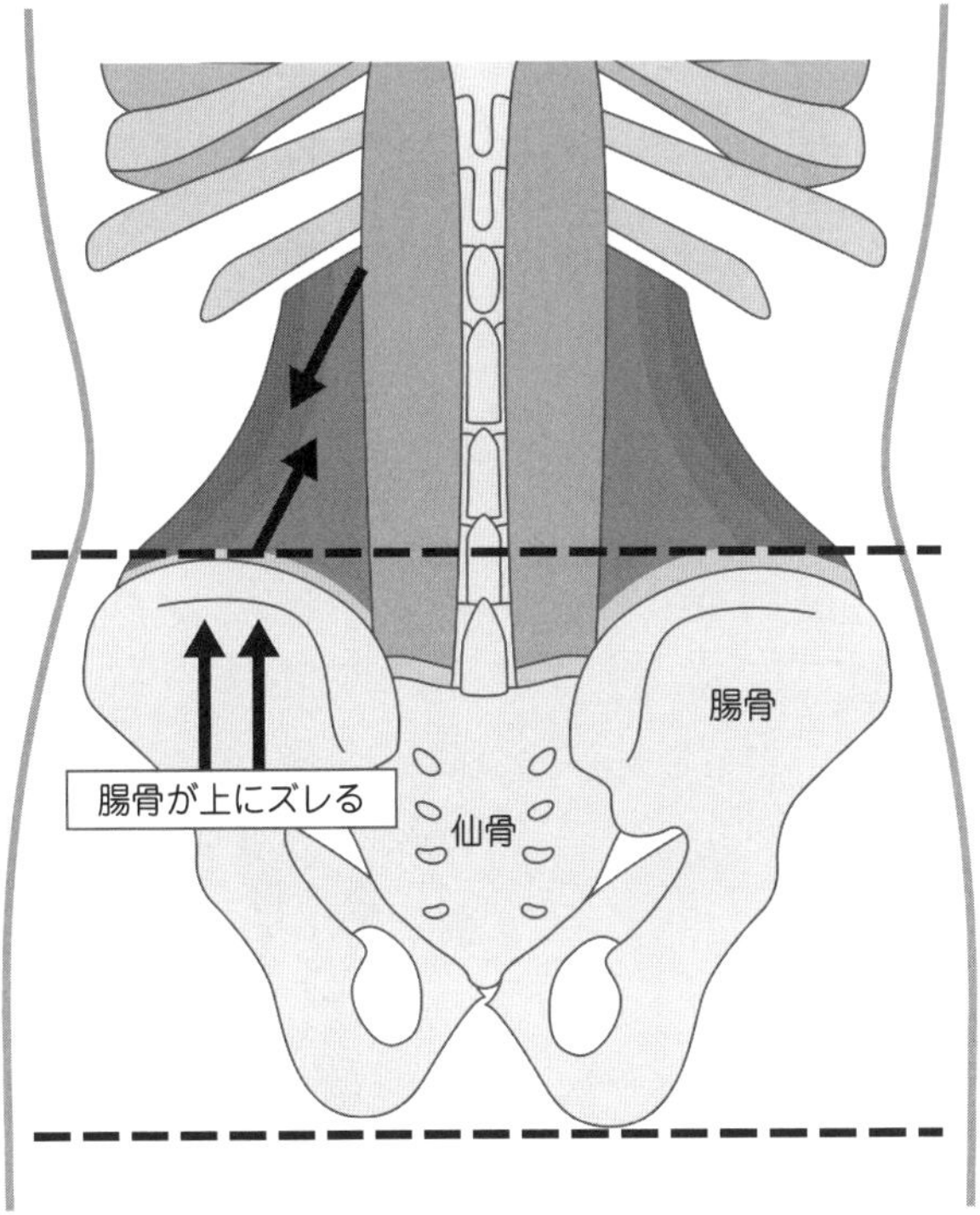

痛みが消える仕組みは簡単!?

痛みの原因は、筋肉の緊張であると理解していただけたでしょうか。

では本題、**「痛みをなくすにはどのようにすればいいのか？」**

それは、緊張した筋肉を軟らかくすればいいのです。

筋肉を軟らかくするには、**筋肉から乳酸を排出すればいいだけです。**

①の筋肉を動かすことによる緊張、**いわゆる〝筋肉痛〟は、適切な**

図6

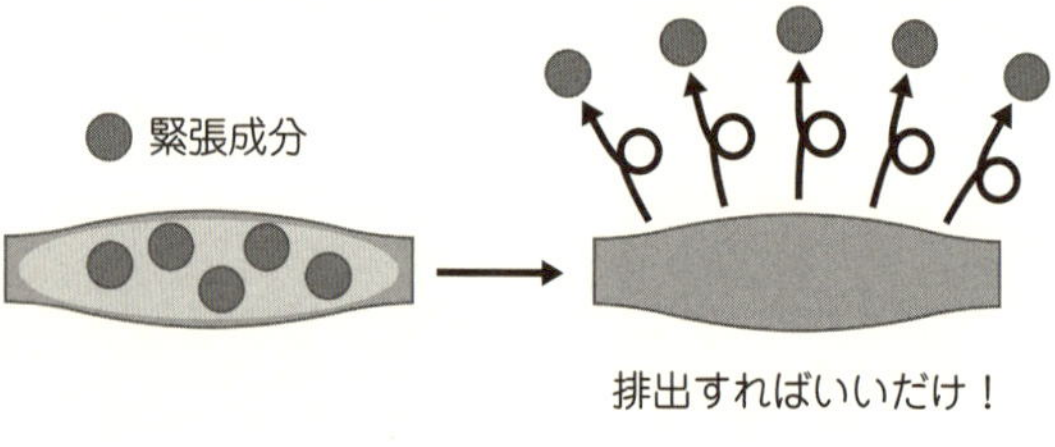

ストレッチを行なえば乳酸の排出を行ない、解消することができます。

ここで「よし、わかった！　筋肉を軟らかくすれば、痛みが消えるんだ」と考えたかもしれませんね。しかし、ちょっと待ってください。

ここでやってはいけないことがあります。具体的には、次のようなことです。

筋肉をもむ・叩く・強く押す・伸ばす

筋肉をもむと悪化します（マッサージ後のもみ返し）
↓
一〇回以上筋肉を叩くと、さらに筋肉は緊張します
↓
強く押すと（指圧）、さらに筋肉は緊張します
↓
伸ばすと、最悪の場合、筋肉の線維が切れます

②の筋肉を動かさないために起こる緊張の状態は、柔軟性がほとんどなくなり、ストレッチなどで無理に伸ばすと、筋肉の線維が断裂（切れる）してしまいます。

ですから、**腰痛患者さんは、腰だけは絶対にストレッチをしないでください。**

ですからまずは落ち着いて、本書の最後までおつきあいいただければと思います。

診断名：椎間板ヘルニア

氏名 住蔵 奈美子　年齢 41才

住所 富山県 富山市　職業 主婦

25才の頃から ぎっくり腰を起こすようになり、整形外科、接骨院、整体 に通いましたが、思うようによくならず、ぎっくり腰になる度に その症状は重くなり、治りたい一心で ブロック注射 80回、トリガーポイント 100回 も打ちましたが、体は固くなる一方でした。どこへ治療に行っても、痛み、不安、恐怖は 消えません。 そんな時、坂戸先生との出会いがあり、自分で治す方法を教えて頂き、学習会やスカイプで サポートをうけたところ 以前の私では信じられないくらいに回復。今は痛みも不安もありません。朝起きてから夜寝るまで、1度も横にならずに いられる 普通の生活が 何年かぶりに 出来るようになり感激です。「自分で治せる」という事は もうこの先一生、痛みで困ることも不安になることもないという事で、それを分かるまで 教えて下さる 先生は すごいと思います。

第2章

病院へ行っても腰痛が治らない本当の理由

これまでの治療方法では、腰痛は治らない

世の中に腰痛治療法といわれるものはたくさんあります。しかし、どれが自分に適しているのかわからないまま、多くの腰痛患者は苦しみ続けています。

私も一八歳で事故にあい、三〇歳になるまでに、五〇人以上の医師・治療家を訪ねました。しかし腰痛は治らないまま、三〇歳のときにはついに動けなくなりました。

一般に広く紹介されてきた治療方法は、主に、注射・鎮痛剤・湿布などの麻酔を利用して痛みをごまかす方法と、マッサージ、鍼灸《しんきゅう》、整体、カイロプラクティックなどの痛みを改善させる方法の二つです。

しかし、これらはあくまでも対症療法です。痛みを一時的にやわらげてく

れることはありますが、痛みの原因を根本から取り除くことができないため、腰痛はいつまでたっても治らないのです。

痛みの原因は筋肉の緊張であり、筋肉内に乳酸が滞っているためです。したがって、乳酸をうまく排出しなくては、治ったことになりません。

麻酔を使って痛みをごまかしても、乳酸が筋肉から排出されるわけではありません。

マッサージ、鍼灸、整体、カイロプラクティックなどでも多少の乳酸は筋肉から排出できますが、すべてを排出しきることはできません。したがって、いくぶん改善しても、腰痛が完全に治らないのは、ある意味仕方がないことだったのです。

筋肉から乳酸をすべて排出し、筋肉が軟らかくならない限り、腰痛が治るということはありません。

筋肉を「柔らかくする」と「軟らかくする」のちがい

過去の医学教育では、「筋肉は常に緊張しているもの」ということを定説にしてきたので、**筋肉はある程度硬いのが当然、と思われる方も多いかもしれません。しかし、実際はそうではないのです。**

本書では、〝**やわらかい**〟という言葉をよく使いますが、二つの漢字で表現していることにお気づきでしょうか。

「柔らかい」は、筋肉が今より少しでもやわらかくなった状態（まだ緊張している）。

「軟らかい」は、筋肉が完全にやわらかくなった状態（無緊張）です。

筋肉が緊張している状態とは、無緊張の状態ではない、という意味です。

決して、柔らかいからといって、その筋肉が緊張していないわけではありません。

無緊張状態の場所は、でん部（お尻）の膨らんでタプタプしている部分（足の付け根の上）、もしくは二の腕の部分です。わかりにくいときは、体中をつまんでみてください。一番軟らかい筋肉（場所）がそうです。

一番軟らかい筋肉より少しでも硬い筋肉は、緊張している筋肉です。

筋肉から乳酸を排出し、筋肉を完全に軟らかくすれば、痛みはありません。

ここで、誤解をされないよう、注意してほしいことがあります。

筋肉の緊張と痛みの関係ですが、筋肉が緊張しているからといって必ずしも痛みを感じるのではなく、緊張して血行不良が起こった場合に、痛みは出てきます。

わかりやすく説明するために、筋肉がもっとも硬い状態を10とします。筋肉がもっとも硬い場所は、腰の中心部の左右0～5㎝の部分と考えてください。

逆に、筋肉が無緊張状態の場合を0とします。筋肉が無緊張状態の場所は、お尻のタプタプしている部分、二の腕の部分と考えてください。

緊張状態が5以上になった場合に、痛みが出ると仮定します。

腕の力こぶの部分を、力を抜いた状態でつまんでみた場合、3程度の緊張状態です。力こぶの部分をつまんで軟らかいと感じる方も多いと思いますが、この状態でも筋肉は緊張しています。

少し運動した後は、筋肉がより緊張しますので、4の硬さになっています。さらに運動した場合、緊張状態は5を超え、7程度まで緊張していきます。

5を超えた時点から、痛みを感じ始めます。

このように、**筋肉の緊張がある一定レベルを超え、血行不良が起こったときに、私たちは痛みを感じ始めます。**

筋肉が緊張していても、そのレベルを超えなければ、痛みを感じることはありません。

図7

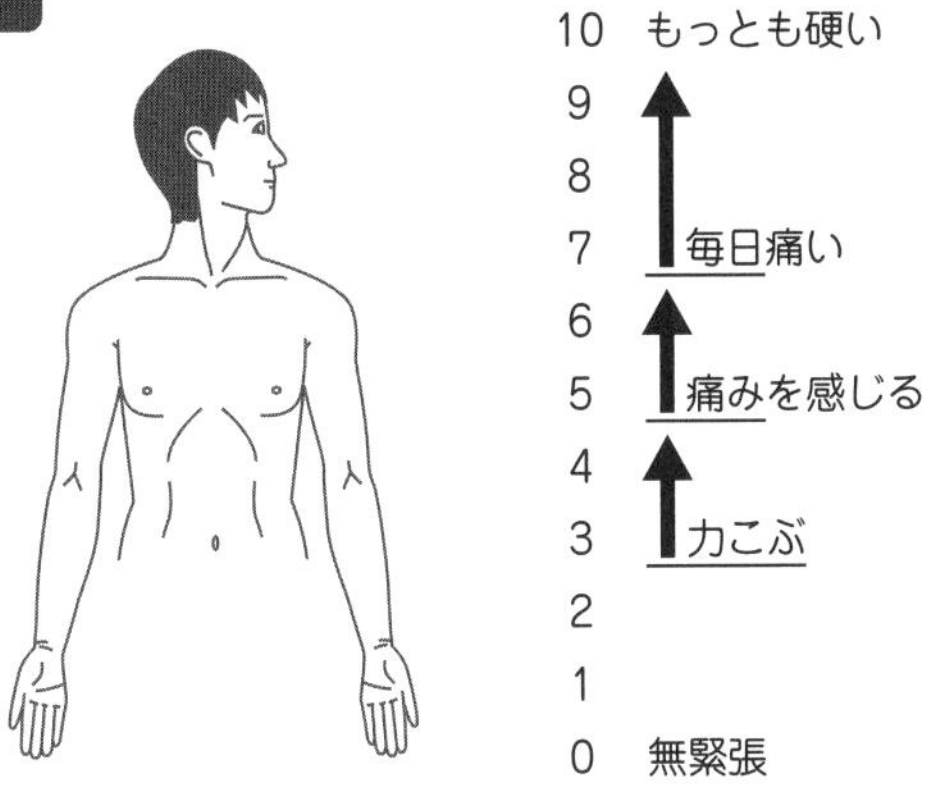

マッサージで腰痛は治るの？

腰痛をやわらげるために、マッサージを行なったとします。このとき、筋肉の緊張状態は、前ページの図7の6レベルだとします。

腕のよい施術者に巡りあえた場合は、2程度は柔らかくなりますから、4の緊張状態になります。4ですから、痛みは消えています。

しかし、痛みは消えていても4は緊張しているので、治っているわけではありません。**とりあえず、痛みを感じていないだけ**です。

マッサージや鍼灸などを行なったあとに痛みが消えると、その時点で「治った」と思いがちですが、結局は今ご説明したような仕組みであるため、根本的には治っておらず、必ず「再発する」ということになります。

「痛みが消えた」＝「治った」のではない、ということを理解していないと、いつまでたっても腰痛を治すことはできません。

筋肉から乳酸を排出し、筋肉を完全に軟らかくしたときこそ、治ったといえるのです。

ストレス、たばこ、加齢……腰痛の犯人とされるあれこれ

情報化社会となり、インターネット上では、痛みの原因についてもあらゆる意見や説明が記されています。中には「そんなことはないだろう」と笑ってしまうものも少なくありません。

たとえば、ストレス、冷え、たばこ、内臓疾患からの関連痛、歯並びの悪さ、加齢など、多くのことが痛みの原因であるといわれています。

これらもあながち無関係とはいえませんが、根本的な原因であるとはいえません。それぞれ、筋肉の緊張との関係を見ていきましょう。

まず、ストレス、冷え、たばこなどで筋肉が緊張する場合、緊張レベルは57ページの図7の1程度です。

ですが、現在の筋肉の緊張状態がすでに4である場合、ストレス、冷え、たばこの影響で1緊張したら、緊張状態は合わせて5となり、痛みを感じ始めます。

そして、ストレス、冷え、たばこの影響がなくなり、緊張状態が1減れば、4となり、痛みを感じなくなります。

ですから、**ストレス、冷え、たばこも痛みの原因であることにちがいありませんが、根本的な痛みの原因とはいえません。**あらかじめ筋肉が4の緊張状態であったということは、痛みを感じる主原因ははじめからあったということです。

筋肉が無緊張の0の状態であれば、ストレス、冷え、たばこなどで1緊張しても、痛みとして感じることはありませんから。

次に、内臓疾患の関連痛として腰痛が起きているのでは、という説についてです。これについては、「まず考えるべきではない」と報告されています。むしろ、腰の筋肉の緊張状態から、内臓疾患が起こることのほうが多いです。

筋肉の緊張と病気の関係についての研究は、現在行なっているところです。

歯並びの悪さで腰痛が起こるという説には、科学的根拠がありません。お会いした方はわかると思いますが、実は私も歯並びがかなり悪いほうです。

歯ならびの治療には時間がかかりますので、時間とともに筋肉が柔らかくなり、痛みが消えたという患者さんがいることも事実です。歯並びの治療を開始し、3年経って腰の痛みが消えたという話も聞いたことがあります。

しかし、現在のところ、その関連性は明らかになっていません。

最後に、腰痛が起こるのは加齢のせいだと思う方も多くいらっしゃるはずです。年をとることで、筋肉を動かさないために起こる緊張状態が増えてきたのなら、それに応じて、当然、痛みも増えてきます。
また、年齢とともに血液の粘性度が増し、血行不良が起こっていることも考えられます。つまり、次のようなことがいえます。

筋肉の緊張＋血液の粘性度＝痛み（乳酸の滞り）

しかし、いずれにしても、元々の筋肉が軟らかい状態にあり、血管を圧迫するような状態でない限り、痛みを感じることはありません。

診断名：変形性股関節症

氏名　新谷直美　　年齢　47才

住所　大阪市天王寺区　　職業　会社員

先天性の変形股関節で、中学生の頃から股関節痛がありました。

ここ数年は特に痛みが酷く、洗濯干しや炊事も辛く、食料の買物すら困難でした。

仕事もまず通勤が大変で、休みを頂いたり迷惑をかけてしまいました。

毎日マッサージに通い、何枚も湿布を貼り、痛み止めの薬を飲んでも改善されず、

激痛の日々が続き「もう生きている意味がない」と悲観しておりました。

そんな時にこの腰痛綫消法を知り、学習会へ参加し、実践してみると、数分で痛みが消えました。

以前は5分歩くのがやっとだったのに、今では小走りまで出来ます。ツアー旅行へも行けました。

人工股関節手術も受ける予定でしたが、通院や薬も不要になりました。

今も股関節は変形したままですが、それは痛みの原因では無いのでもう心配いりません。

誰でも出来るこの方法に出会えて感謝します。今痛みで苦しんでいる方も諦めないで欲しいです！

坂戸先生や紹介して下さった方、本当にありがとうございます。

第3章

腰痛は、原因がなくなれば必ず治る

腰痛は、腰まわりの筋肉の緊張が原因だった！

私が三〇歳のとき、痛みは筋肉の緊張であり、腰・でん部・足の痛みやしびれは、腰まわりの筋肉の緊張が原因であることがわかりました。

この事実は、痛みと筋肉の関係を研究していた過去の研究者の資料で知ることになります。

私は当時、腰・でん部・足の痛みで寝たきりになり、立つことができなくなっていました。

「これらの資料に記載されていることが本当ならば、絶対に治る」

原因が特定されているのであれば、原因を取り除けばいいだけだと考え、自分の体で実験を繰り返しました。

もし、その資料が手に入らなければ、今の私は存在していません。そして、研究者としての私も存在しなかったことでしょう。

腰・でん部・足の痛みは、腰まわりの筋肉の緊張が原因です。腰まわりの筋肉が緊張することで、腰から足先までの筋肉まで緊張させてしまうのです。

69ページの図8をご覧ください。でん部や足の痛み出す場所によって、腰のどの部分が緊張しているかを特定できます。

腰が痛いときは、腰の筋肉が緊張しています。

①　でん部が痛い場合

中心から7㎝外、背中側から6㎝中の筋肉の緊張が原因

② 太ももの外側・後ろ側が痛い場合（坐骨神経痛の原因）

中心から11㎝外、背中側から9㎝中の筋肉の緊張が原因

③ ひざが痛い場合

中心から10㎝外、背中側から4㎝中の筋肉の緊張が原因

④ ふくらはぎが痛い場合

中心から5㎝外、背中側から5㎝中の筋肉が緊張

いずれにしても、痛みを発している腰の筋肉が軟らかくなれば、腰、でん部、足の痛みやしびれは消えます。

次章でご紹介する**「腰痛緩消法」**では、**筋肉の構造を利用して、筋肉を軟らかくする方法を具体的に説明していきます。**

図8

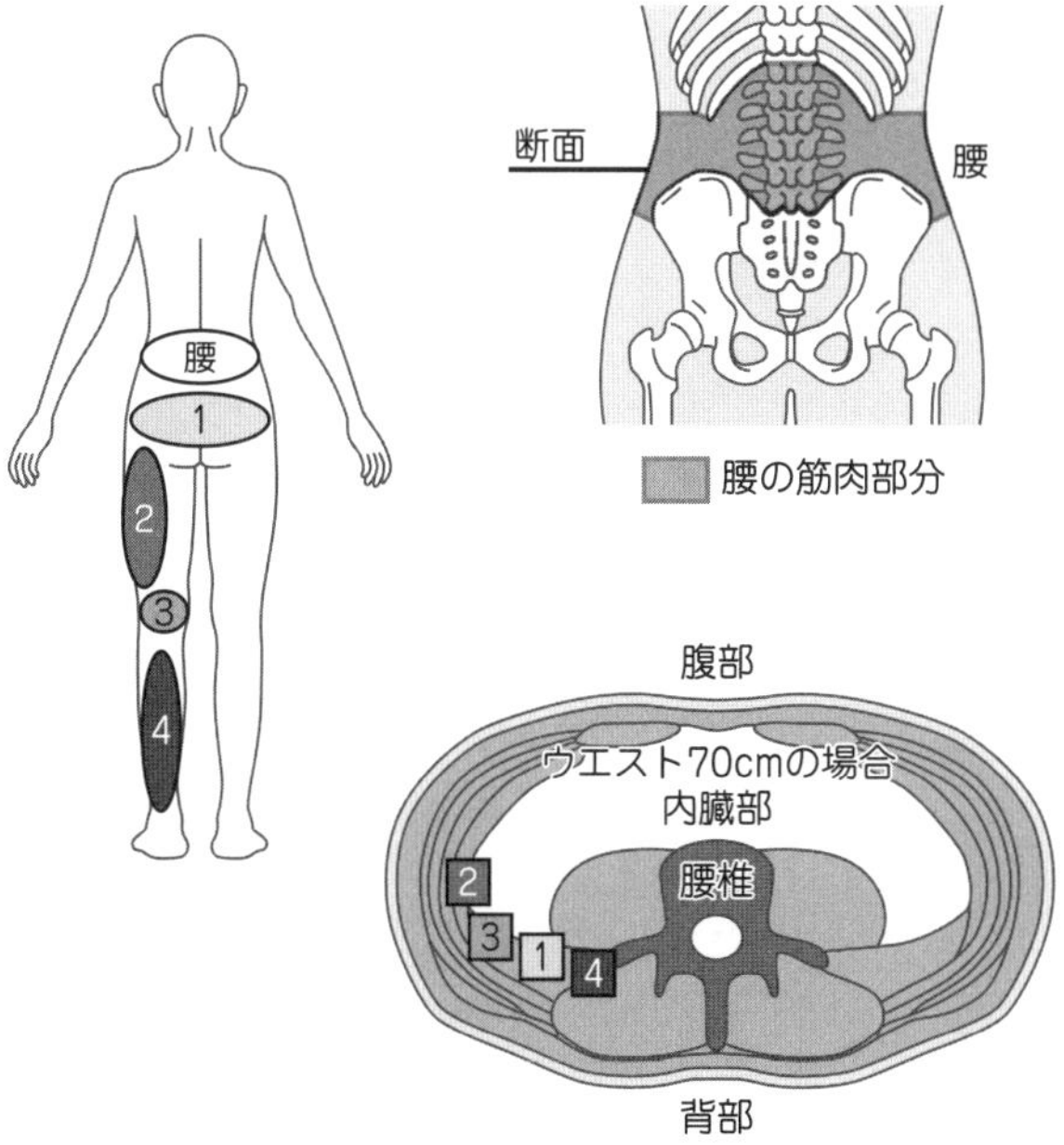

腰が痛いときは腰が硬い

①が痛いときは1が硬い

②が痛いときは2が硬い

③が痛いときは3が硬い

④が痛いときは4が硬い

腰まわりの筋肉が軟らかいと、10㎝も指が入る

あなたの腰の筋肉が、お尻のタプタプした部分のように軟らかい状態になることを、想像できるでしょうか。

腰痛緩消法を行なうと、筋肉を無緊張の状態にできるので、指で腰を押すと、軽い力でも10㎝程度も押しこむことができます（図9参照）。

筋肉が軟らかくなることは、老若男女を問わず、すでに実証済みです。

前述したように、腰・でん部・足の痛みやしびれの原因は、腰まわりの筋肉の緊張が原因です。ですので、これを軟らかくできれば、誰でも痛みが消えます。

例をあげて説明します。でん部の中心部に痛みがあるとします。でん部の中心部が痛いと、仙腸《せんちょう》関節炎などと診断されることもあります。

中心から7cm外、背中側から6cm中、腰椎4番の位置が原因で、痛みが生じています。痛みを確実に消すには、中心から7cm外、背中側から6cm中、腰椎4番の位置の、緊張した筋肉を軟らかくすればいいのです。腰のかなり奥深い場所です（次ページ図10参照）。

このように、**痛みが生じている場所をピンポイントで軟らかくすることができれば、確実に痛みを消すことができます。**

図9

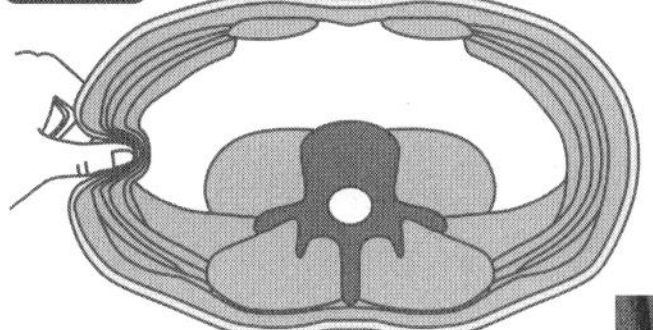

10cm程度指が入る

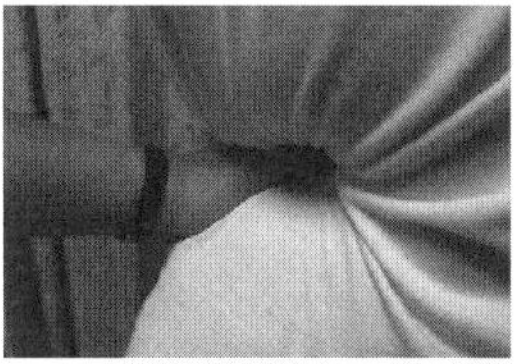

どんなに硬い筋肉でも
このように軟らかくなります

図10

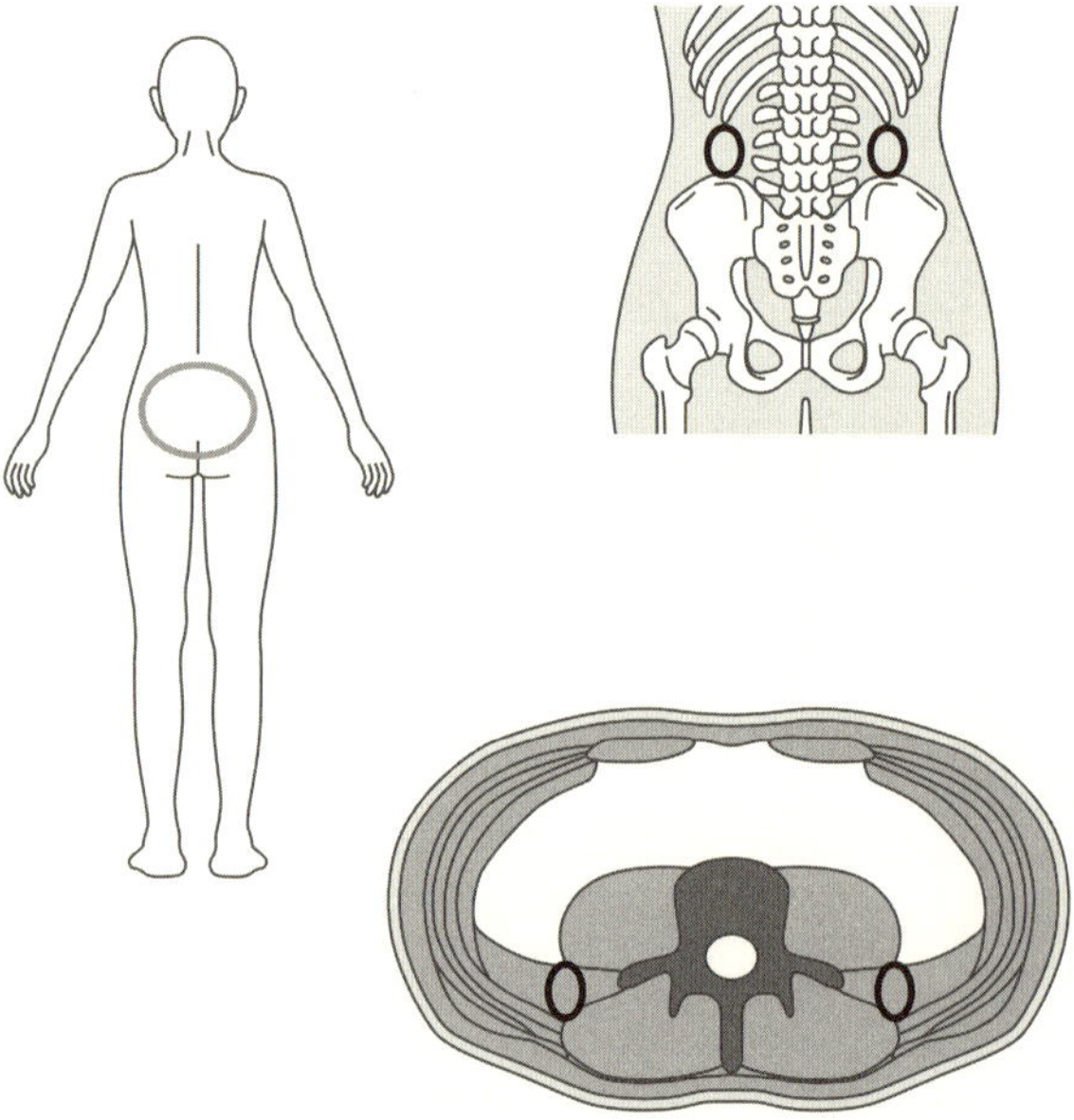

痛む場所

筋肉の緊張位置

安易な考えは、さらに腰痛を悪化させる

正確な知識もなく、むやみに自分で腰痛を治そうとすると、逆に悪化してしまう危険性があります。次のようなことはＮＧですので、気をつけてください。

×もむ

一般的に、筋肉をもむことをマッサージといいますが、**緊張した筋肉をもむことで、炎症が起こります。**この状態を〝もみ返し〟といいます。

腰の筋肉をもんでもみ返しが起こった場合、最悪の場合、三日間程度立てなくなります。

×叩く

筋肉を一〇回以上連続して叩くと、**緊張した筋肉は反発を起こし、さらに硬くなります。**

長く肩たたきをすると痛みが増すのも、筋肉の反発から筋肉がさらに緊張するからです。

×強く押す

筋肉が緊張し、痛みがある場所を強く押した場合、激しく反発し、さらに緊張します。

緊張している筋肉に対し、絶対に行なってはいけない一番危険な方法です。

×伸ばす

伸ばして軟らかくなる筋肉の状態は、使って緊張した場合だけです。

運動後の〝筋肉痛の状態〟ですので、**毎日痛みを出す筋肉を伸ばすと、さらに悪化します。**最悪の場合、筋肉が断裂（切れる）しますので、絶対に行なってはいけません。

△温める（温熱療法・温泉）

温めても、表面の1㎝程度の筋肉しか軟らかくなりません。下半身の痛みの原因のほとんどが、腰の深部の筋肉が原因です。**筋肉の構造上、深部まで熱が伝わりませんので、気休め程度にしかなりません。**

△鍼・灸

鍼やお灸では、筋肉は軟らかくなりません。多少の気休めで痛みが軽くなりますが、根本的には筋肉は軟らかくなりません。**悪化はしませんが、改善もしないと思います。**

×注射（ブロック注射・トリガーポイント注射・局部麻酔）

痛みがあるときに病院で使う注射の成分には、副作用に「筋肉がこわばる（硬くなる）」「腰痛」「発熱」があります。

麻酔で一時的に痛みが軽くなった場合、「治ったと錯覚」しがちですが、**結果として、さらに筋肉が硬くなってしまい、痛みが増していきます。**

×湿布・痛み止め

湿布や痛み止めも、副作用に「筋肉がこわばる（硬くなる）」「腰痛」「発熱」があります。**痛みは軽くなりますがその場しのぎで、さらに筋肉を硬くして痛みが増します。**

△血行を促進させる

筋肉が緊張しているとき、筋肉内の血管が圧迫されています。

そのため、血管が細くなっていますので、**血行促進剤などを飲んでも効果**

は期待できません。 血管が圧迫された状態で、血流を増やすために無理に圧を上げると、最悪の場合は血管が破裂してしまいます。

このように、腰痛治療にはさまざまな方法が考えられますが、その効果はよくても筋肉の表面を1㎝程度柔らかくするだけで、腰の深部の筋肉まで軟らかくすることはできません。

また、**表面的な効果であっても得られればまだいいですが、結果的に悪化してしまうこともあるので、注意が必要です。**

安易な考えで腰痛を悪化させることなく、筋肉を軟らかくして痛みを消す「腰痛緩消法」を次章で紹介しますので、それを行なってください。

20年の腰痛が治り、今ではゴルフに

氏名 石川 珠友希　　男性・女性（女性に丸）　　年齢 50 才
住所 東京都杉並区　　職業 主婦

腰痛歴は20年で あらゆる治療をしてきました。5年前にギックリ腰を繰り返して
1か月間寝込んだら 腰の筋肉が鉄板のように硬くなり 前後屈が出来なくなりました。
短時間しか座れない 歩けない 重たい物を持てないなど 以前より悪化して
日常に支障が出てきました。5年間 痛み止めの湿布を貼り続けていました
腰痛緩消法に出会い 5日で 前後屈が出来、3週間ほどで 長時間 座ったり
歩いたり 車の運転も長距離出来るようになりました。今では ゴルフも 出来ます
何より 痛みから 解放された 喜びでいっぱいです。
自分で治せるこの緩消法をマスターして 病院や治療院で費やす 時間とお金を
楽しい事に使いましょう 坂戸先生 本当にありがとうございました。

第4章

腰痛を治す世界唯一の方法「腰痛緩消法」

安全な方法で、筋肉を軟らかくする

試行錯誤の実験と研究を重ね、二〇〇七年に、**筋肉内の乳酸を安全に排出する方法、緩消法《かんしょうほう》を考案しました。**

緩消法の研究に参加してくれたのは、どこで治療しても痛みやしびれが治らなかった患者さんたちです。三〇〇〇人を超える方にご協力いただき、答えを見つけました。

緩消法では、薬や道具を一切使いません。筋肉を軟らかくする段階でのもみ返しもありませんし、一度軟らかくした筋肉は、再度硬くなりません（筋肉を動かさないために起こる緊張状態にならないという意味で、筋肉痛は除きます）。

ですので、悪化させずに、筋肉を軟らかくすることができます。

緩消法は、手が動けば老若男女を問わず、誰でも簡単に行なえます。今までに緩消法を行なった最少年齢は三歳の男児、最高年齢は九五歳の女性でした。中には、二分で痛みが消えたという方もいます。

大事なのは、痛みは他人にはわかりませんから、自分で状態を感じながら、無理をせずに軟らかくしていくことです。それが一番、安全です。

腰痛緩消法とは？

腰痛緩消法は、たった一回、たった一日で、腰の痛みやしびれが消え、二度と再発させないために開発した、腰痛の治療法です。

毎日欠かさずに行なわなければならない、体操のようなものではありません。

具体的には、83ページ図11のA－1からB－4の手順で、腰まわりの筋肉を軟らかくします。そして、C－1からC－8で、骨格の歪みによる筋肉の

緊張をなくします。

腰痛緩消法は、A－1から順番に行ないます。最後のC－8が終わったときには、腰・でん部・足先までの痛みの原因がなくなっていますので、腰痛とさようならしていることになります。

腰痛緩消法は、記載のとおりに行なわないと筋肉が軟らかくなりません。すべてに順番がありますので、あわてずに行なってください。

ただし、痛みがひどく、記載の動作ができない場合は、無理に行なうことは絶対にやめてください。

また、**これからご紹介する方法は、腰の筋肉だけに有効です。**足が痛い、手が痛いからといって、ほかの痛い箇所の筋肉に対してこの方法を行なうことは、絶対に避けてください。悪化する恐れがあります。

それでは、腰痛緩消法を始めましょう！

図11

A-1	腰まわりの筋肉を、振動させる
A-2	腰まわりの筋肉を、左右同時に軟らかくする
A-3	腰まわりの筋肉を、片側だけ軟らかくする
B-1	上半身を前後に動かし軟らかくする
B-2	上半身をひねって軟らかくする
B-3	腰の外側に、緊張が残っているかを確認
B-4	腰の中心に、緊張が残っているかを確認

C-1	腸骨のズレを調整する準備
C-2	腸骨のズレを調整
C-3	腸骨のねじれを調整する準備①
C-4	腸骨のねじれを調整する準備②
C-5	腸骨のねじれを調整する①
C-6	腸骨のねじれを調整する②
C-7	腸骨のねじれを調整する③
C-8	腸骨のねじれを調整する④

A-1　腰まわりの筋肉を、振動させる

この方法は、太ももの筋肉（外側広筋）を叩くことにより、腰の筋肉を振動させて、腰の筋肉を軟らかくする方法です。

必ず片足ずつ行なってください。痛いほうの足から先に行ないましょう。両足を同時に行なうと、腰の筋肉は振動しません。

まず、椅子に腰かけます（床に座っても問題ありません）。このとき、ひざの部分を、九〇度に曲げることが大事です。

図12と13の○で囲んだ部分、ももの外側を叩きます。叩き始める場所は、ひざのお皿の部分が終わって、ももの筋肉が始まるところです。ひざ側から、徐々に足の付け根の方向へ。

図12

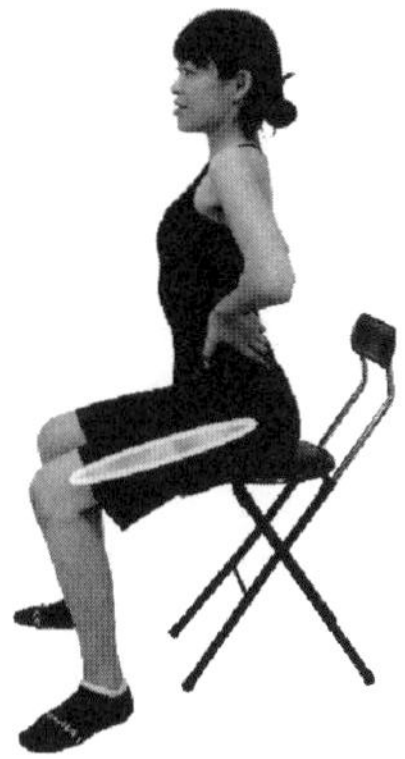

図13

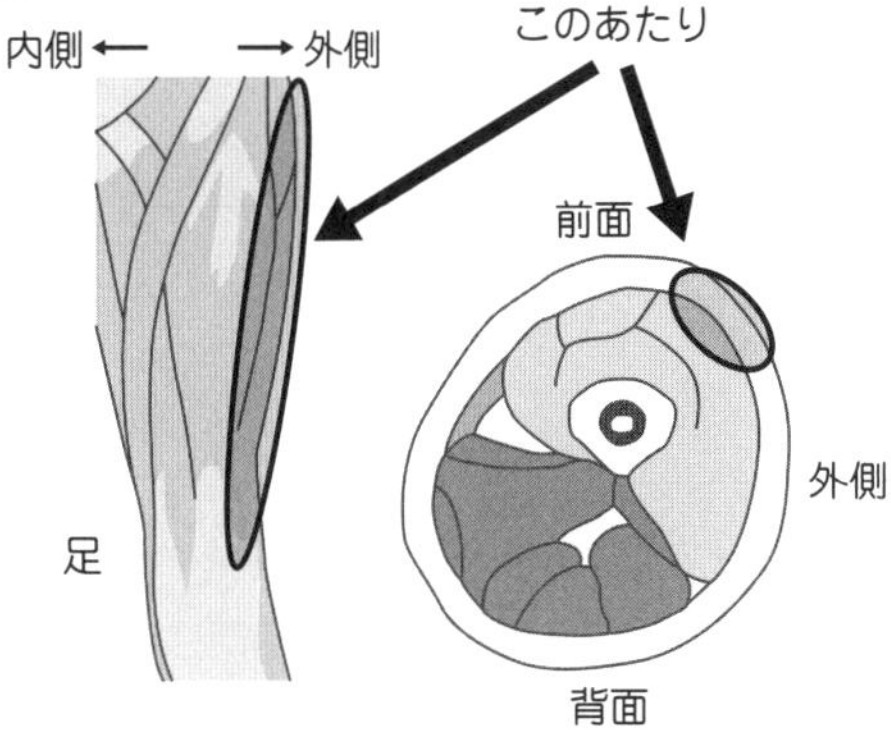

平手にして、小指側で叩きます（図14参照）。

できるだけ強く叩いてほしいのですが、ももの筋肉を壊してはいけないので、ももの筋肉が壊れないと判断できる強さで叩いてください。足の付け根に向かって、ななめに手を振りおろすように行なうと効果的です。

一回、２㎝程度ずつ移動しながら、足の付け根まで叩きます。

この、ひざから足の付け根までの動作を一回とします。

足の付け根まで叩いたら、もう一度、ひざのお皿の部分に戻り、繰り返し叩きます。

これを一〇回、行ないます。

終わったら、反対側の足も同じように行ないましょう。必ず両足を行なってください。

床に座ったり、仰向けになることもできない場合は、無理にやらないでください。

図14

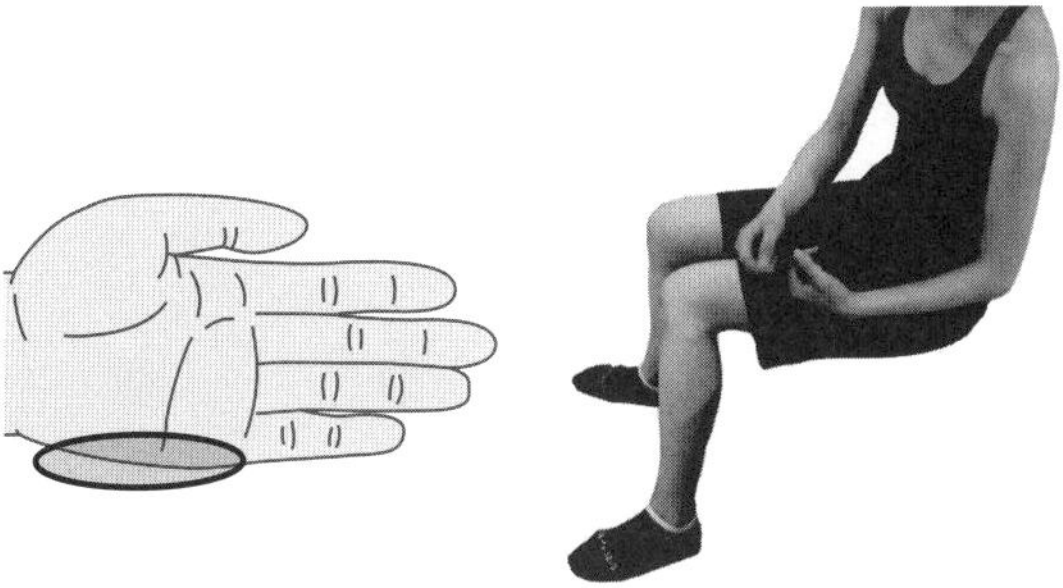

A-2 腰まわりの筋肉を、左右同時に軟らかくする

ここでは、緊張した筋肉を指先で軽く押しあて、その部分を支点とし、筋肉の動きのバランスを崩すことで、筋肉を軟らかくしていきます。

腰まわりの筋肉線維にアンバランスな動きをさせると、筋肉の構造上、支点となっていた筋肉の緊張部分が、軟らかくなることを発見しました。

この方法は、腰まわりの筋肉にしか効果がありません。

この緩消法で、どうして筋肉が軟らかくなるのでしょうか。

具体的なやり方に入る前に、それを説明しておきましょう。

次ページの図15をご覧ください。筋肉のイラストです。

筋肉の長さが、10㎝あるとします。

図15

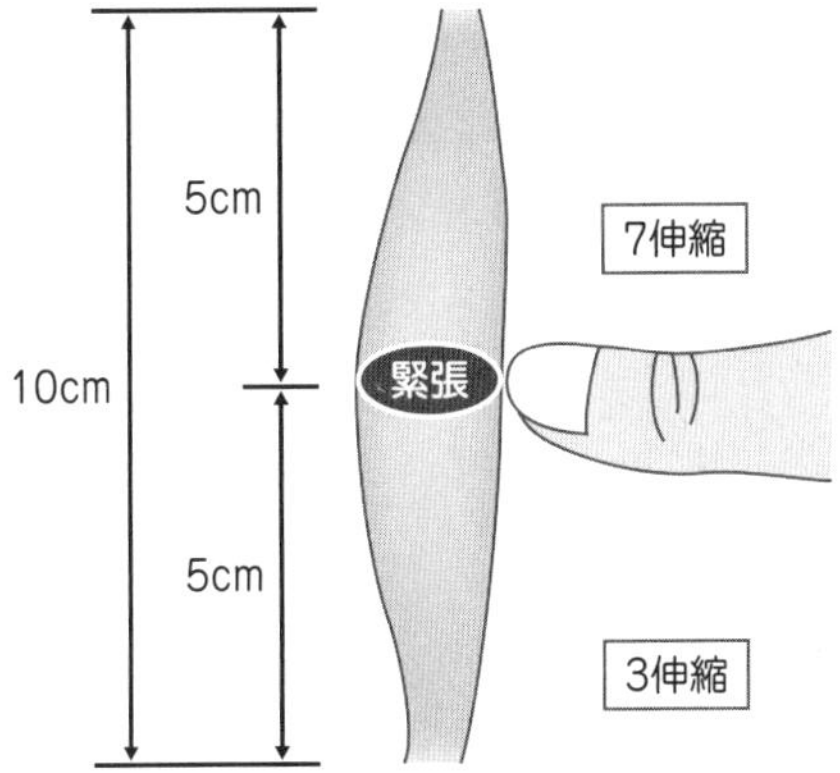

通常、体を動かすと、10㎝の筋肉全体が、バランスよく伸びたり縮んだりします。

そこで、わざとアンバランスな動きをさせるために、自分の親指を筋肉に軽く押しあてます。

筋肉の真ん中に指先を軽く押しあてたまま筋肉を動かすと、上の５㎝の部分が大きく動き、下の５㎝は小さく動きます。

仮に筋肉が全部で10、動くとしましょう。通常は、筋肉を動かすと、すべての場所が均等に10、伸縮します。

筋肉の真ん中を支点とすると、上のほうが大きく動き、下のほうは小さく動くので、支点から上の5㎝の筋肉線維は7、下の5㎝の筋肉線維は3、伸縮するのです。

このような動きをさせると、支点となる指の幅の分（約2㎝）だけ、筋肉が軟らかくなるのです。

今度は、指の位置を少し移動させ、筋肉が硬く緊張しているところまで軽く押しあてます。筋肉が緊張している場所は、上にも下にもあるので、確認してください。

筋肉全体が緊張しているという場合は、指の幅の分（2㎝程度）だけ移動させていけばいいでしょう。

仮に、上から３㎝の部分の筋肉が緊張しているとします（次ページの図16参照）。先ほどと同じように、その部分に指をあて、緊張を取り除きます。

指をあてたまま筋肉を動かすと、上の３㎝の部分が大きく動き、下の７㎝の部分は小さく動きます。

このとき、指を筋肉にあてたまま、上の３㎝の筋肉だけを動かすつもりで行ないます。厳密にそうするのは難しいですので、〝動かすつもり〟でいいでしょう。

次に、同様に、上から７㎝の部分も、筋肉が緊張しているとします。指をあてたまま筋肉を動かすと、上の７㎝の部分が大きく動き、下の３㎝の部分は小さく動きます（次ページの図17参照）。

指の押しあてる力を変えず、上の７㎝の筋肉だけを動かすつもりで行ないます。

図16

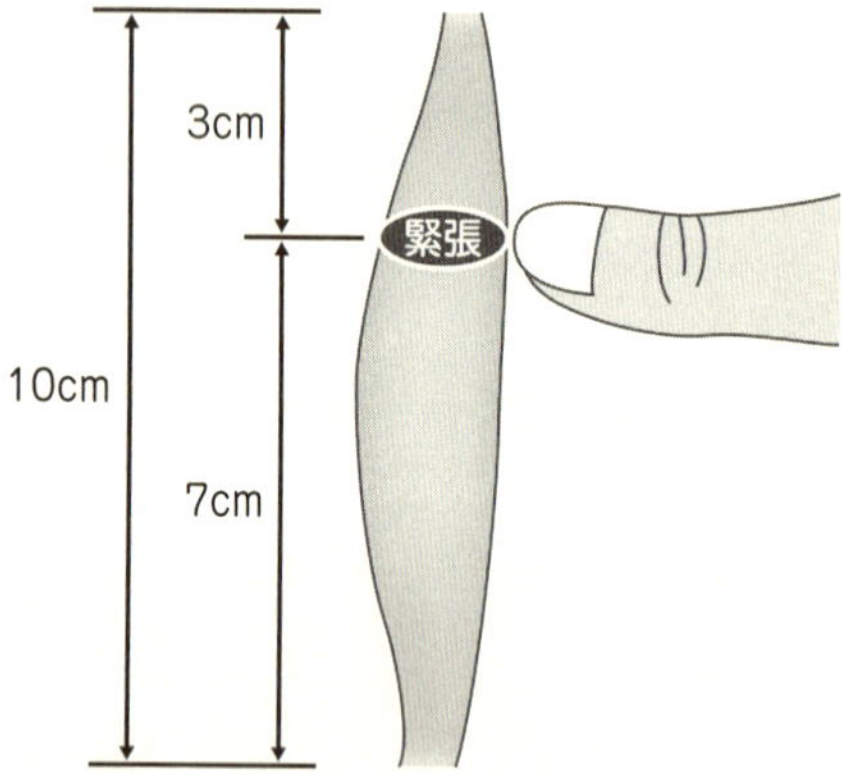
3cm
緊張
10cm
7cm

図17

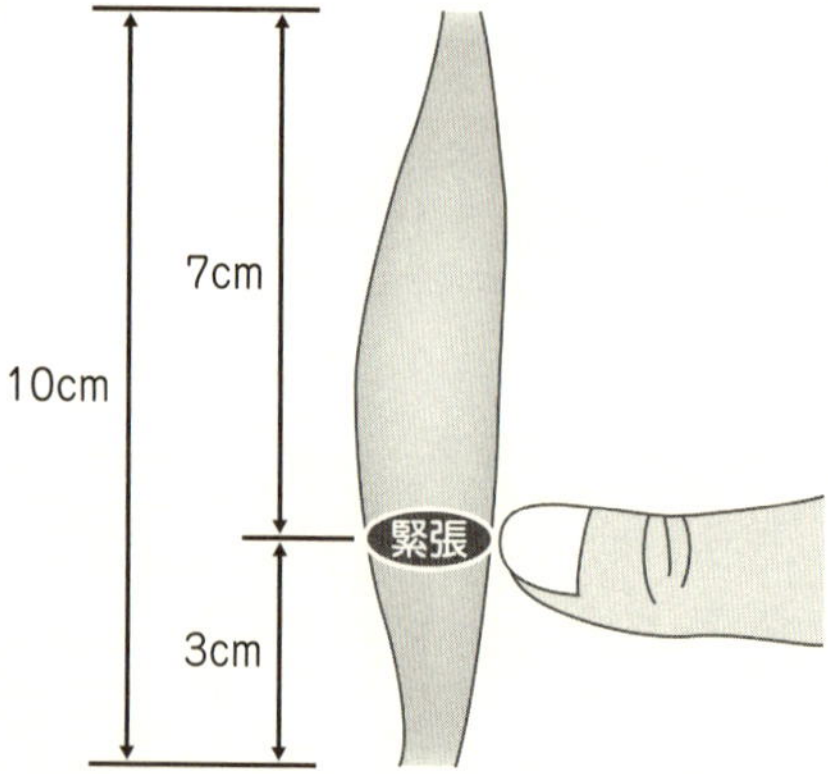
7cm
10cm
緊張
3cm

図18

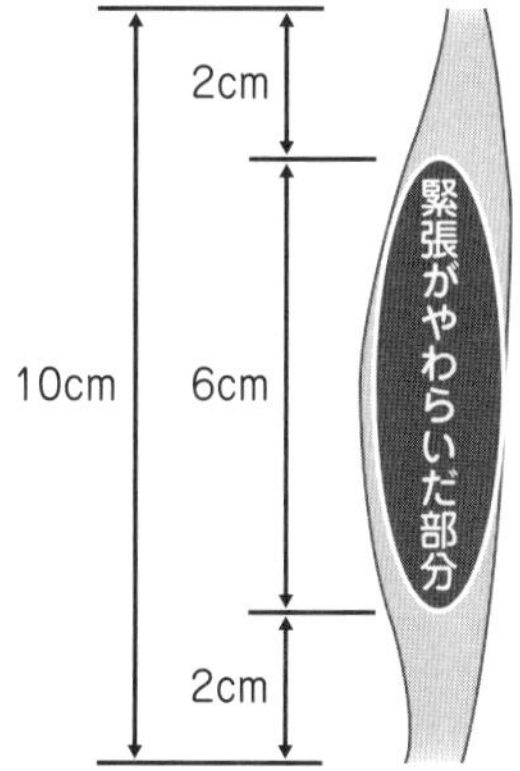

　ここまで行なうと、筋肉が軟らかくなった場所は、上から３㎝、５㎝、７㎝の支点の部分です。
　幅は指の幅分くらい、つまり上下１㎝程度ですので、合わせると、上から２㎝のところから８㎝のところまでの、計６㎝の部分が軟らかくなったということです（図18参照）。

ほかにも緊張している場所があるかどうか確認して、同様にしていきます。このように繰り返していき、腰まわりの筋肉を軟らかくしていくのです。

腰痛の場合、必ず緊張した硬い筋肉が、図19のイラストのように、腰の場所にあります。

緊張した筋肉を親指で押すと、押された筋肉は痛みを感じます（ブロック注射などの麻酔が効いている場合は除く）。

緊張している筋肉を見つけたら、緊張している筋肉にだけ親指の先を軽く押しあて、この方法を実行し、腰の中に筋肉の緊張がなくなるまで行なうのです。

図19

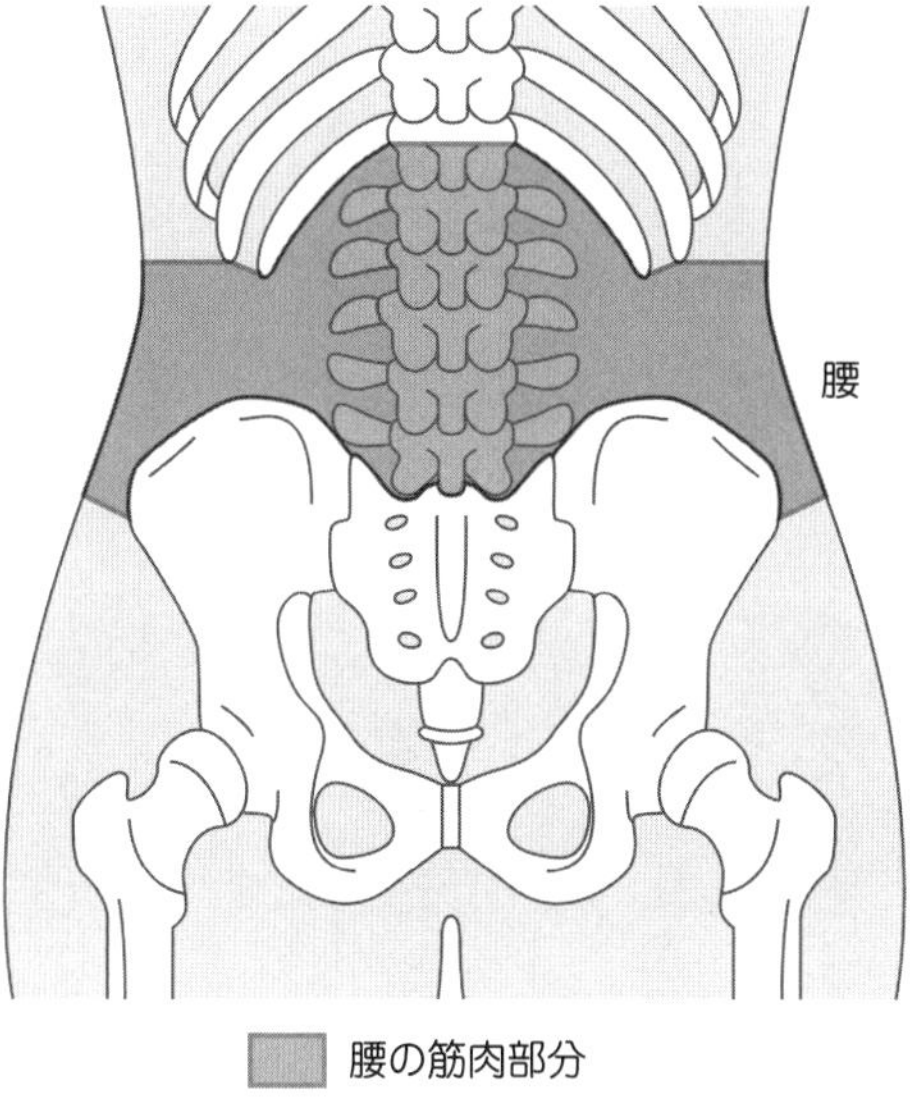

それでは、ここからはいよいよ、やり方の具体的な説明に入ります。

まず、足を、肩幅より少々広めに開きます。立って行なうと効率よくできますが、立てない場合は座ったままでもけっこうです。

図20をご覧ください。腰方形筋《ようほうけいきん》と脊柱起立筋《せきちゅうきりつきん》の間付近に、横から親指で軽く押すだけで痛い場所があります。筋肉が緊張していると、指先で軽く押すだけでも痛みを感じます。

緊張している筋肉には必ず痛みがありますので、図20の矢印のように、わき腹の方向から真横に指を入れるなどして探してください。

腰の真横側から順番に筋肉を軟らかくすると、効率よく行なえます。

わかりにくい場合でも、一度指を押しあてる位置がわかると、次回から簡単に行なうことができます。

図20

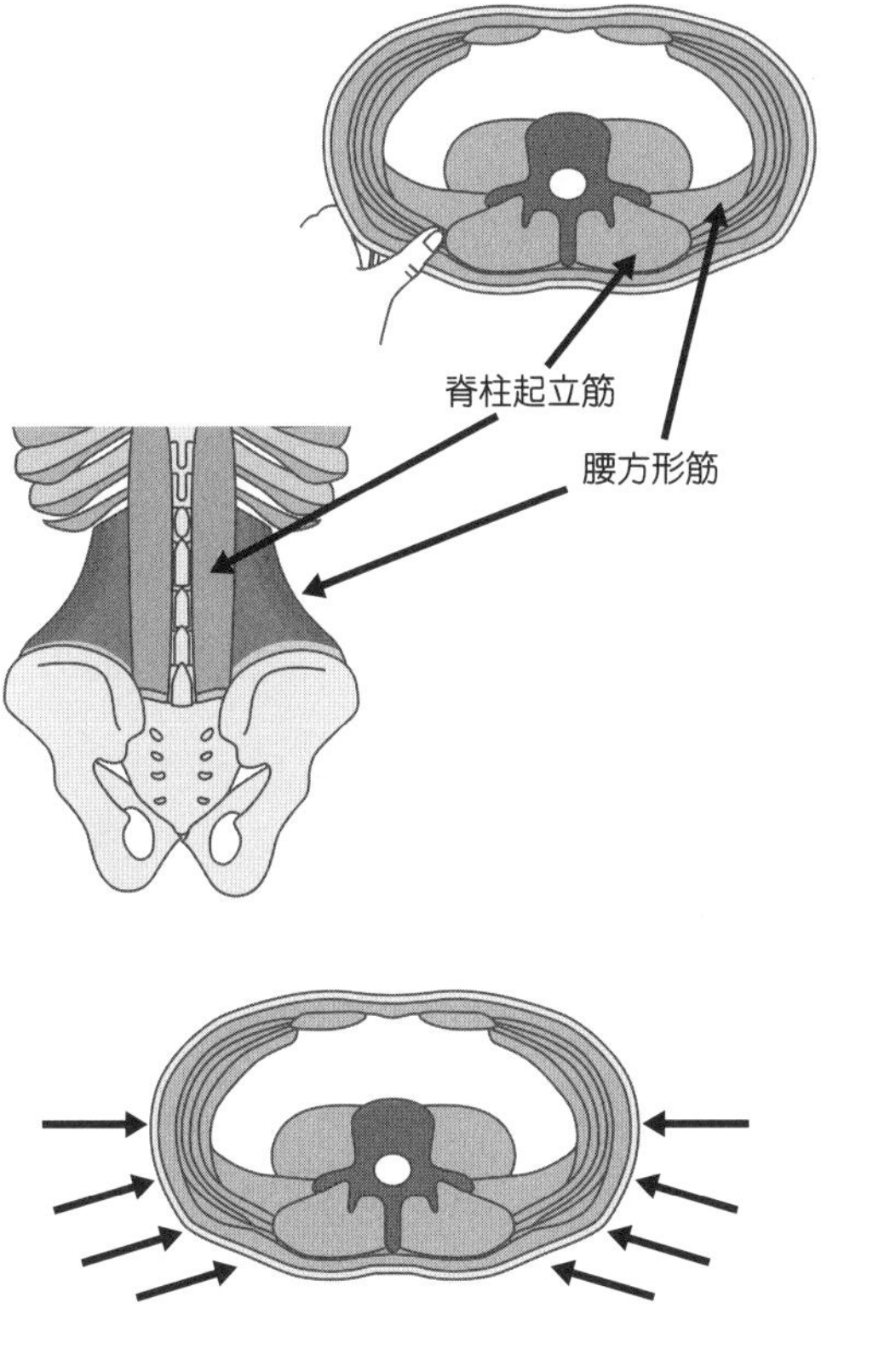

親指の先を、腰の緊張している筋肉に軽く押しあてます。
おさえた指を支点に、左側に上半身をスムーズに傾けます。
このとき、図21の傾き以上に傾けないでください。

一秒程度でスムーズに、①の姿勢に戻ります。
そのまま動作を止めずに、今度は右側に傾けます。そして、①の姿勢に戻ります。

図21

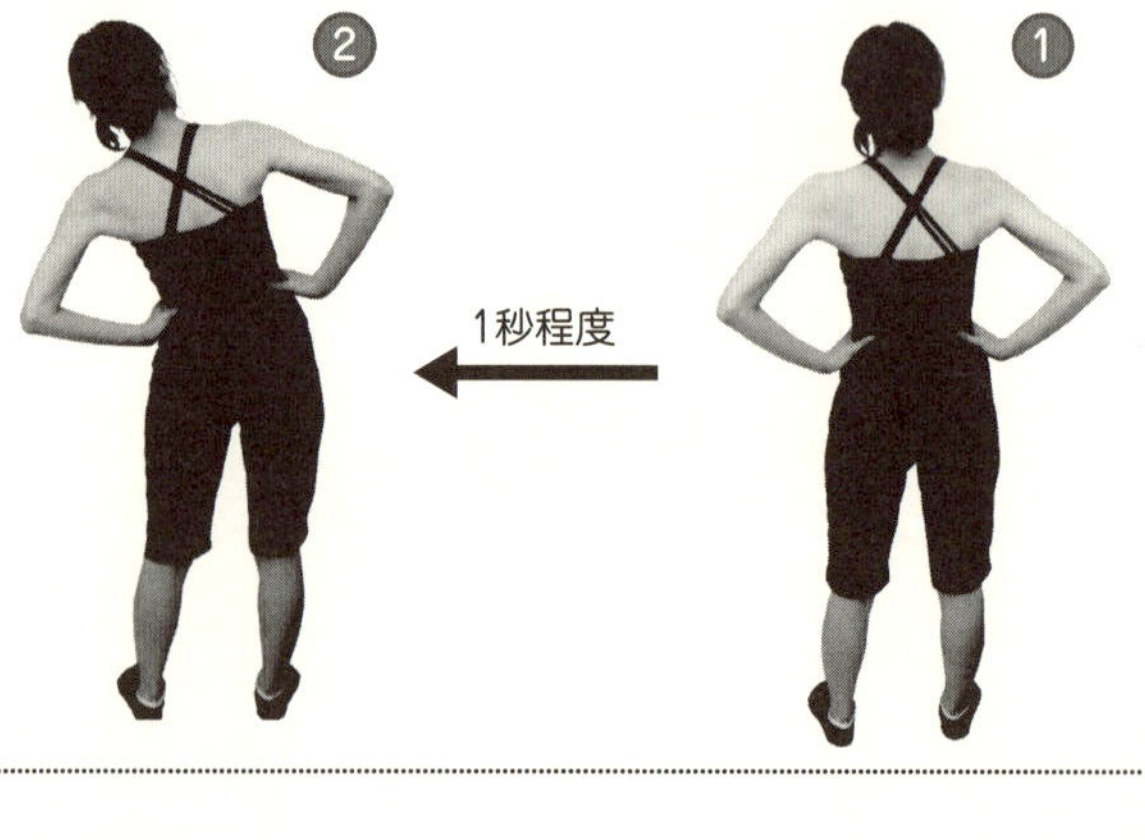

この左右に上半身を傾ける動きを、途中で動作を止めずに、一秒間隔でスムーズに行なってください。

緊張している筋肉が軟らかくなるまで、これを繰り返します。軟らかくなったと感じれば、一セットで終わりにしてかまいません。

連続して行なう回数は、左右一回ずつを一セットとして、一〇セット以内にしてください。

一〇セット行なっても軟らかくならない場合は、いったん指を離し、二秒以上休んでから、また行ないましょう。

A－3　腰まわりの筋肉を、片側だけ軟らかくする

Ａ－２の緩消法では、左右両側の筋肉を軟らかくしました。

しかし、筋肉の緊張している体積は、左右同じとは限りません。

そこで、片側の筋肉だけに緊張が残っている場合、そこだけをさらに軟らかくする方法が、これです。

まず、親指の先を、緊張が残っている腰の片側の筋肉に軽く押しあてます。

このとき、痛い側に少し上半身を傾けた状態から始めると、腰の深部に指が入りやすくなります（図22は、右側に痛みが残っている場合）。

おさえた指を支点に、右側にスムーズに上半身を傾けます。図の傾き以上に、傾けないでください。一秒程度で、①の姿勢に戻ります。

図22

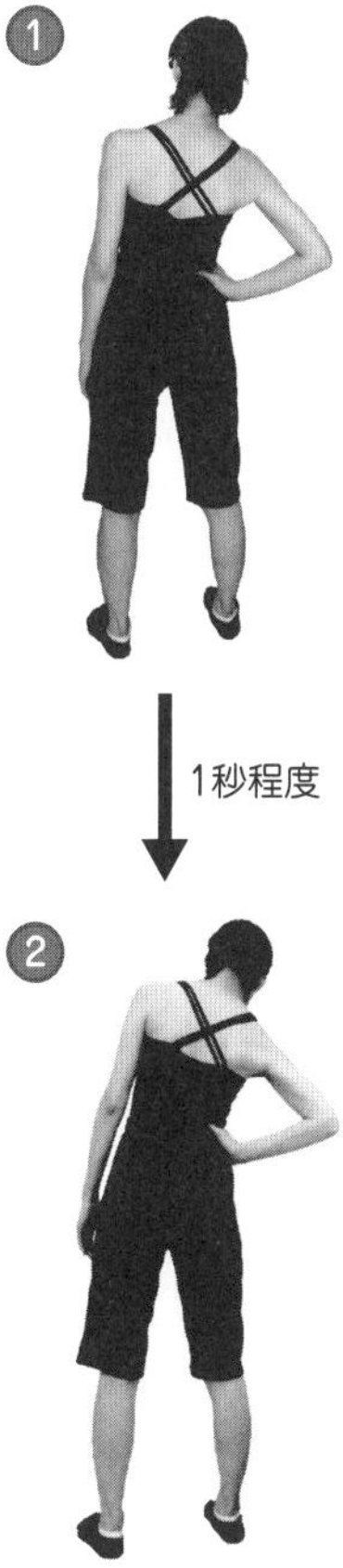

この動きを、緊張している筋肉がなくなるまで繰り返します。筋肉が軟らかくなった時点で、指を離しましょう。

ただし、連続して行なうのは一〇セット以内にしてください。

一〇セット行なっても緊張がとれない場合は、いったん指を離し、二秒以上休んでから、再度行ないましょう。

この方法で、横から指をあてたときに緊張が確認できる筋肉は、すべて軟らかくしてください。

B－1　腰まわりの筋肉を、上半身を前後に動かして軟らかくする

A－2、A－3の緩消法は、指を横方向から押しあてて行ないました。

しかし、腰まわりの筋肉の中には、指を横から押しあてでもあてられない筋肉があります。

今回は、そういった筋肉を軟らかくする方法をご紹介します。

骨盤の際を後ろから指で押してみると、筋肉に緊張が残っていて、痛い部分があると思います。

まず、親指の先を、その部分に、後ろから軽く押しあてます。

おさえた指を支点に、上半身を前に傾けます。

１０５ページの図23の傾き以上に、傾けないでください。

元の姿勢に戻ります。

そのまま今度は、上半身を後ろに傾けてください。

この①②③④の動きを、動作を止めずに、一秒間隔でスムーズに行なってください。

筋肉が軟らかくなった時点で、指を離します。緊張している筋肉がなくなるまで、繰り返しましょう。

ただし、この動作を連続して行なうのは、①②③④を一セットとして、一〇セット以内にしてください。

それでも軟らかくならない場合は、二秒以上休んで、再度、行ないましょう。

この方法で、後方から指をあてたときに緊張を確認できる筋肉は、すべて軟らかくしてください。

図23

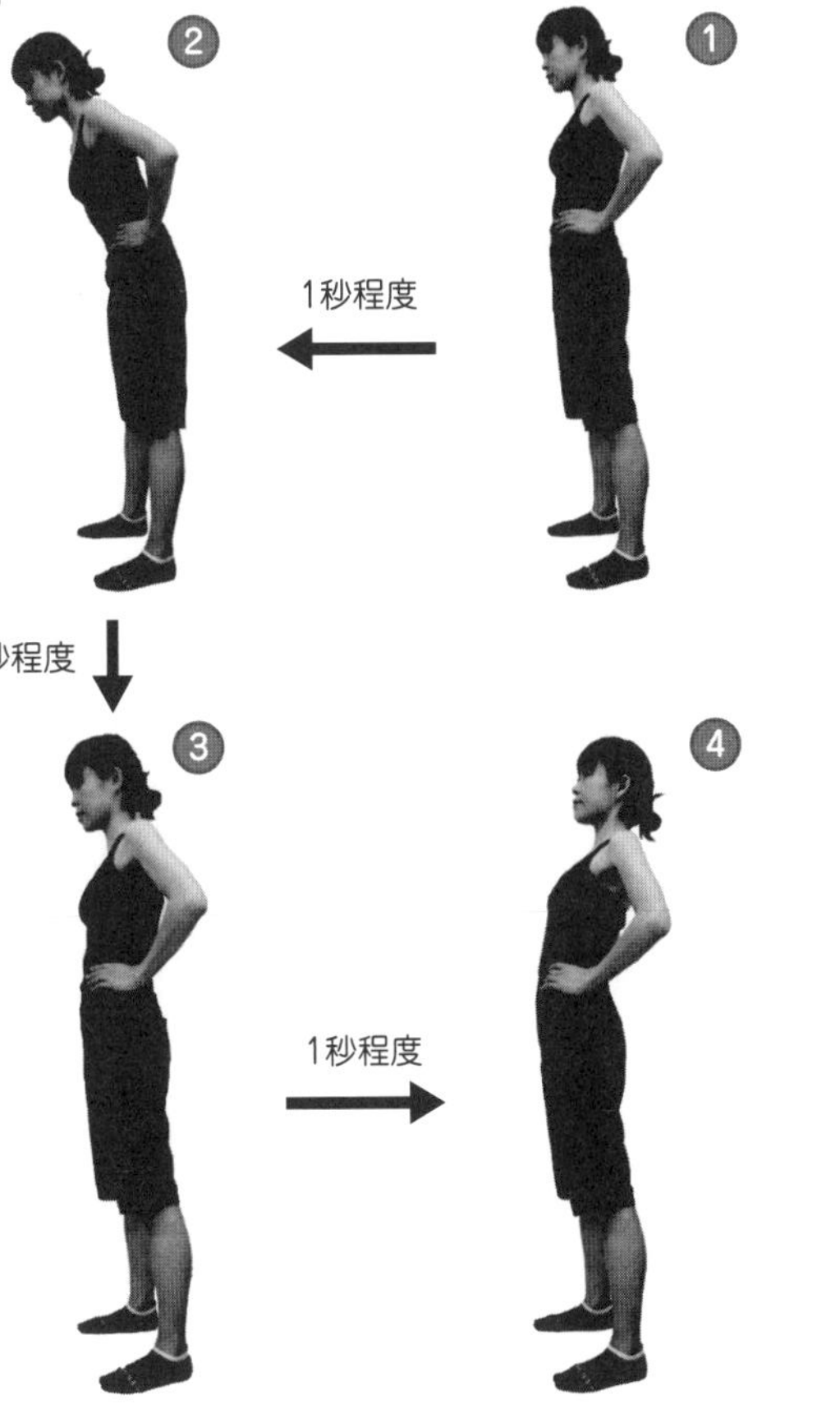

B-2 腰まわりの筋肉を、上半身をひねって軟らかくする

B-1では上半身を前後に動かしましたが、前後では動きにくい筋肉もあります。B-1を行なった後でも、あまり筋肉が伸縮していないと感じるようでしたら、上半身をひねる、この方法を試してみましょう。

まず、親指の先を、緊張が残っている腰の筋肉に後ろから軽く押しあてます。

おさえた指を支点に、腰をより痛いほうにひねります。

図24の写真以上にひねらないでください。

元の姿勢に戻り、そのまま反対側へもひねります。そして元の姿勢に戻ります。

図24

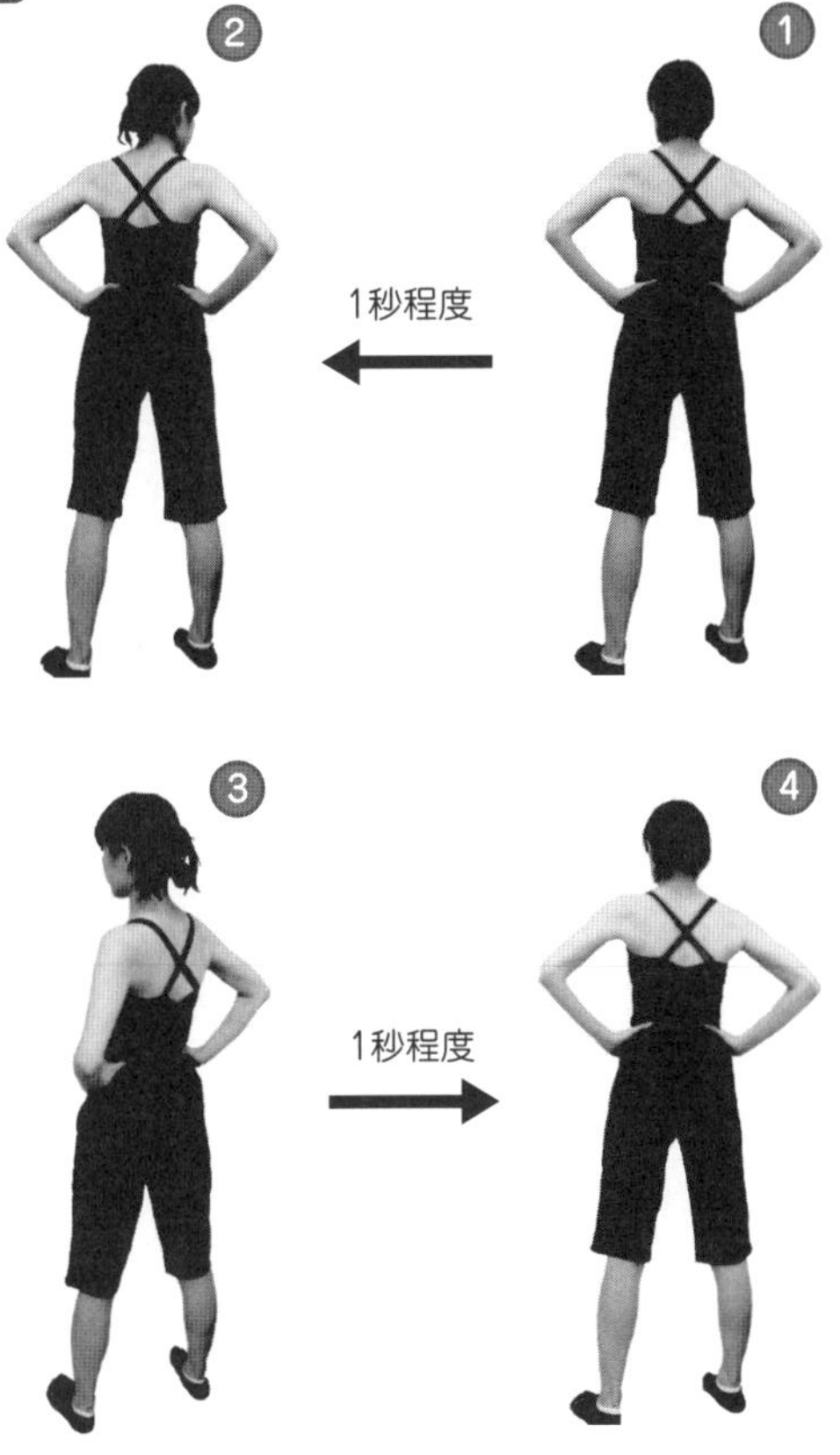

動作を止めず、①②③④を、一秒間隔でスムーズに行なってください。

筋肉が軟らかくなった時点で指を離します。ほかにも緊張している筋肉があれば、それがなくなるまでこの動作を繰り返します。

ただし、連続して行なうのは、①②③④を一セットとし、一〇セット以内とします。それでも緊張している場合は、いったん休んで、再度行ないましょう。

ここまでにご紹介した、A－2からB－2までの緩消法は、回数はこだわりませんが、自分の筋力と相談して行なってください。無理は禁物です。

ここまで、腰まわりの筋肉を軟らかくする方法をご紹介してきました。

緊張した筋肉がすべてなくなっているかどうか、指で軽く押しあてて確認できればいいのですが、なかなかわからないという方もいらっしゃいます。
その場合、次の二つの方法で確認することもできます。

B-3　腰の外側に、緊張が残っているかを確認

B-4　腰の中心に、緊張が残っているかを確認

しかし、今回は紙幅の都合上、この確認方法については、説明を省略させていただきます。

一人で骨盤を調整する、世界でただ一つの方法

ここまでの腰痛緩消法で、毎日の生活に不自由を感じるほどの、腰・でん部・足の痛みやしびれなどは、すべてなくなっているはずです。

しかし、長年、骨盤が歪んでいる状態では、骨盤が正しい場所に戻らないこともあります。

骨盤が正しい場所に戻らないと、骨盤周辺の筋肉に〝耐える力〟が働くので、筋肉は緊張し、生活に支障がなくとも、痛みを感じるようになります。

そこで、次に、骨盤に歪みがある場合の調整方法を紹介していきます。

骨盤の歪みには、「腸骨のズレ」と、「腸骨のねじれ」があります。

腸骨のズレとねじれを確認する方法は、今からご説明します。まずは次ページの図25で、場所をご確認ください。

図25

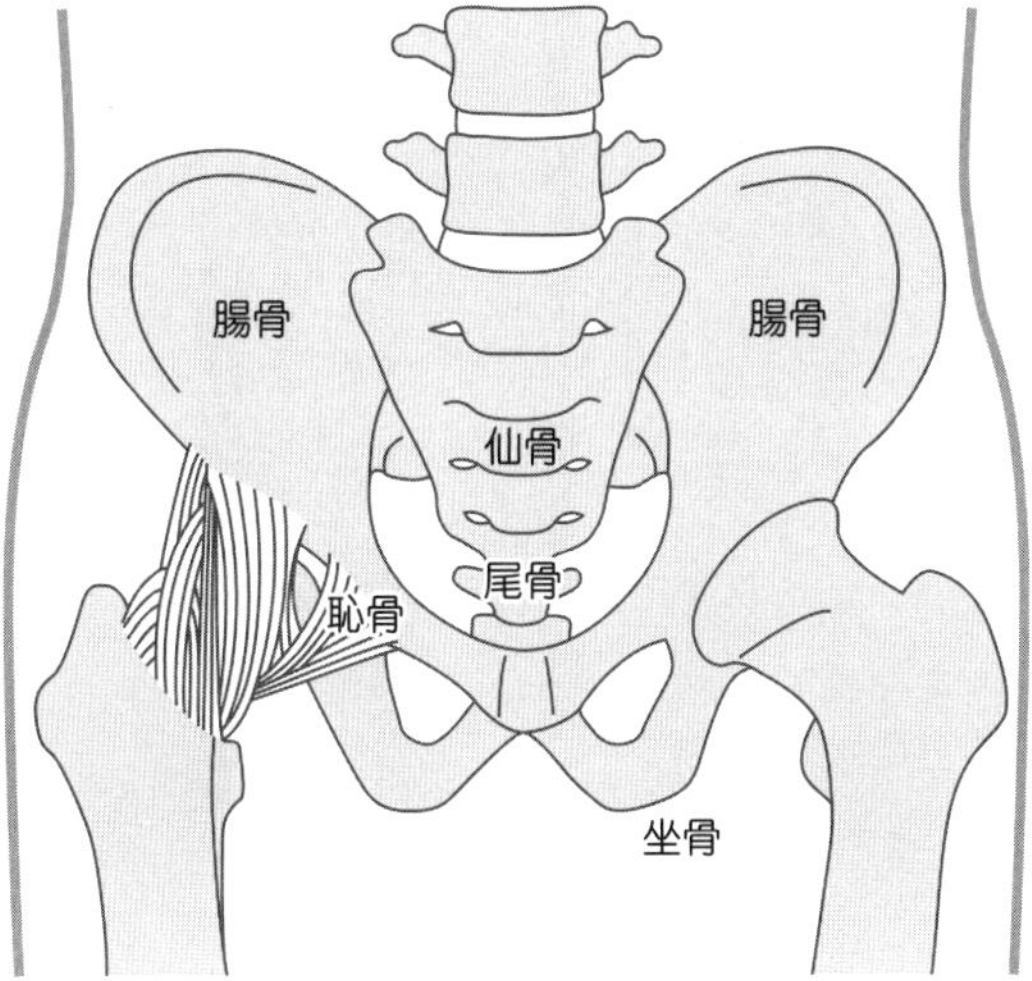

●骨盤（腸骨）のズレを確認する

それでは、まずは骨盤にズレがあるかどうかを確認してみましょう。

椅子に腰を下ろします。ひざは九〇度に曲げます。

ひざのお皿（膝蓋骨《しつがいこつ》）のすぐ下、左右四五度の場所に、少し窪んだところがあります。

この窪みに、両方の人差し指を軽く押し当て、少し下に下げます。すると、指が骨にあたって止まるはずです。これは、脛骨《けいこつ》と腓骨《ひこつ》という二本の骨の先端（骨頭）にあたります。

通常、この骨の先端を結んだ線は水平になっています（図26参照）。

しかし骨盤にズレがある場合、外側の骨（腓骨）が下がっているのです。

図26

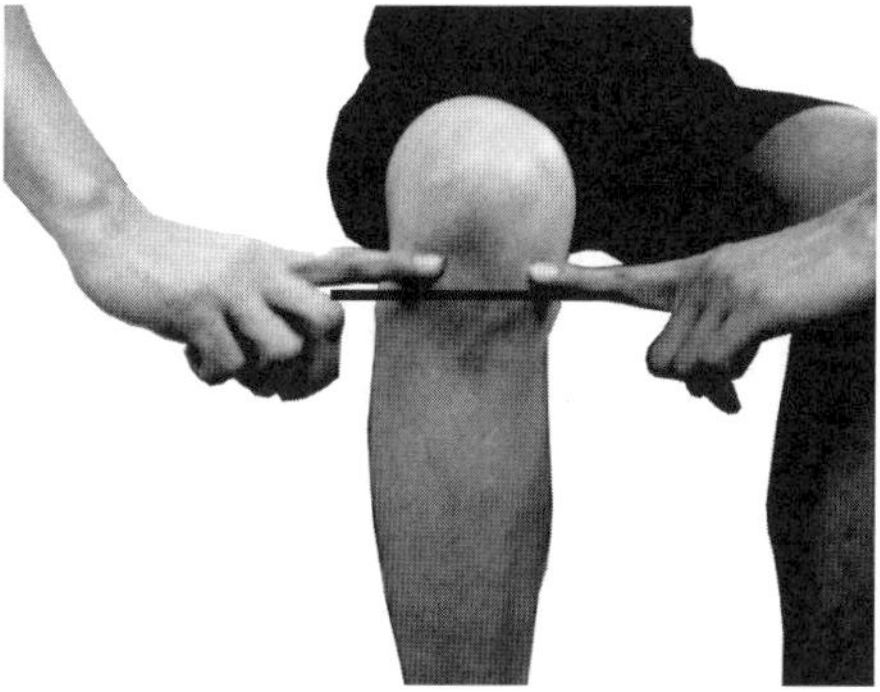

●骨盤（腸骨）のねじれを確認する

次に、腸骨のねじれを確認しましょう。

まず、仰向けに寝転がって、力を抜いてください。深呼吸を一回します。

その後、顔を少し上げて、つま先を見てください。

左右の足の開き（傾き）がちがう場合、腸骨はねじれています。この写真の場合、左足の指先が外に開いていますね（図27）。

このように腸骨がねじれている場合は、仙腸関節周辺の筋肉が緊張します。

なお、これからご紹介していくズレとねじれの解消法を最後まで行なった後、骨盤が正しい位置に戻っているかどうかを確認します。

したがって、今の両足のひざ下の骨のズレと、両足の開きの角度を覚えておいてくださいね。

図27

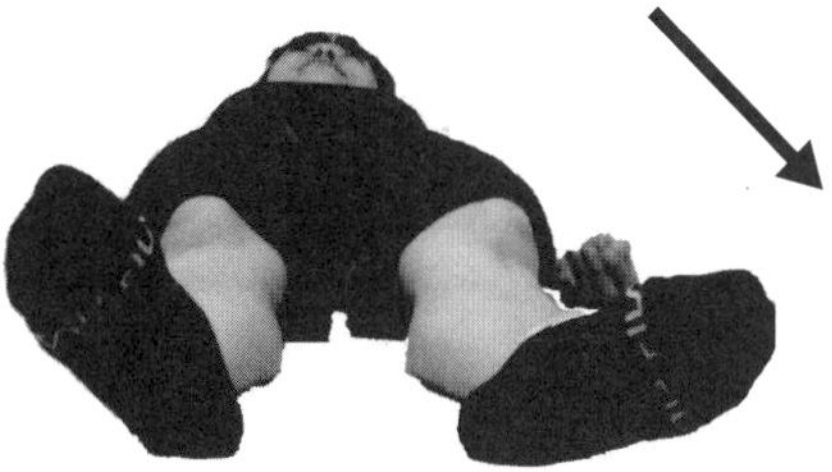

C-1 腸骨のズレを調整する準備

腰には、仙腸関節と呼ばれるところがあります（図28参照）。仙腸関節上の筋肉が緊張しすぎていると、骨盤の調整をできないことがあります。

そこで、腸骨のズレを調整する前に、まずは仙腸関節上の筋肉を軟らかくする方法をご紹介します。

はじめに、うつ伏せになってください。

その状態で、仙骨と腸骨の境目、仙腸関節を、指先で少しグリグリするようにおさえてみると、痛みを感じる部分、またはコリコリしている部分があると思います（図29参照）。

図28

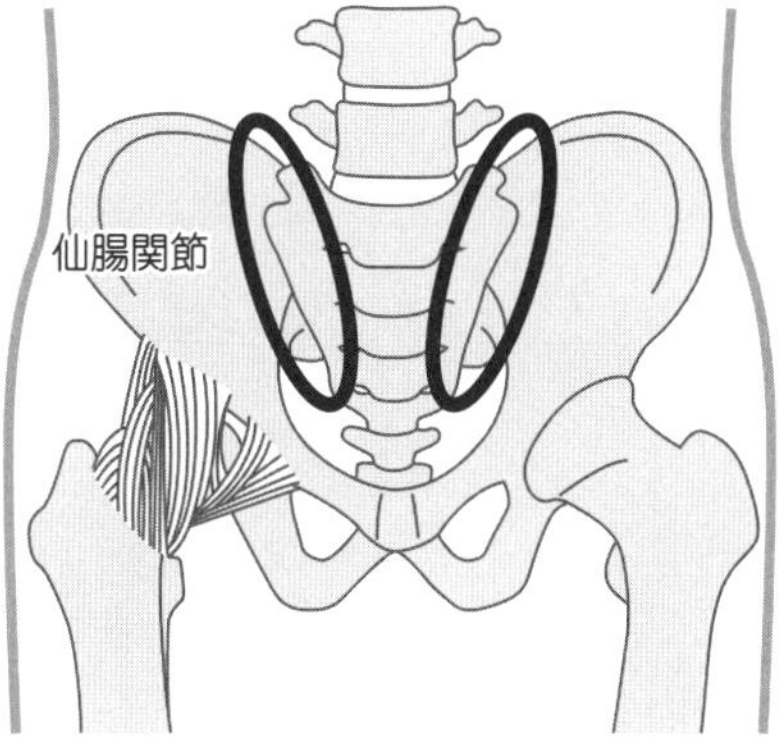

図29

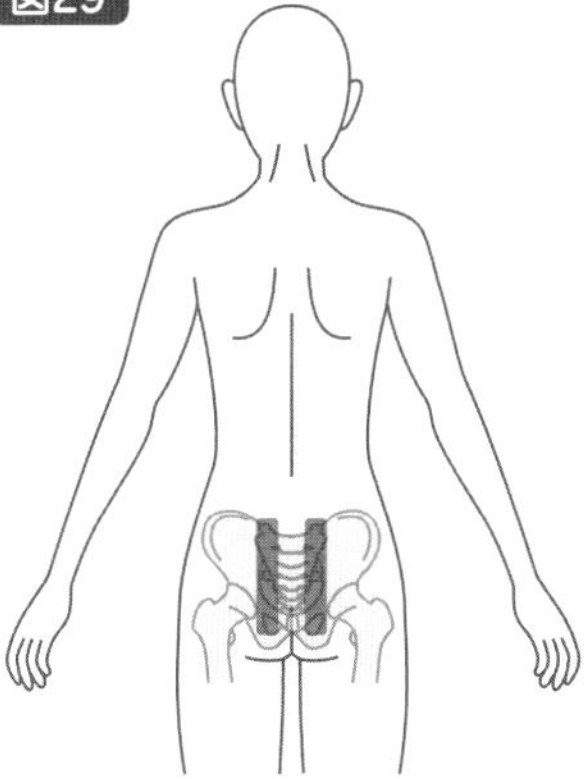

その部分を、一カ所につき一分間程度、指で軽くさすります。一〇カ所あれば、一〇分かかります。二カ所以上、まとめて同時にさすれば、時間が短縮できます。

指は、人差し指や中指でかまいません。手をグーにして、まとめてさすっても結構です。

C-2　腸骨のズレを調整

仙腸関節上の筋肉を軟らかくできたところで、ここからは、腸骨のズレを調整していきましょう。

太ももの正面を叩くことで腸骨を振動させ、腸骨のズレを戻していく方法です。必ず、片足ずつ行なってください。両足を同時に行なうと、腸骨は振動しません。

まず、両足を伸ばして床に座ってください。

平手をつくって、その小指側で、太ももの正面を叩いていきます。叩き始める場所は、ひざのお皿の部分が終わって、ももの筋肉が始まるところです。

ひざから足の付け根の方向へ、ななめに大腿直筋を突き上げるように叩くと効果的です（１２１ページの図30参照）。

そこから、徐々に足の付け根の方向へ向かいます。一回、2㎝程度ずつ移動しながら叩きます。

できるだけ強く叩いてほしいのですが、ももの筋肉を壊さないように加減してください。

足の付け根まで叩いたら、もう一度ひざの上の部分に戻り、叩くのを繰り返します。

一〇回、行なってください。一〇回以上は行なわないでください。

片方の足が終わったら、反対側の足も同様に、一〇回行ないます。

両足とも終えたら、脛骨・腓骨のズレを、再度調べてみてください（113ページの図26）。水平に戻っていると思います。

頻度は、一日に二回以上、行なわないでください。

図30

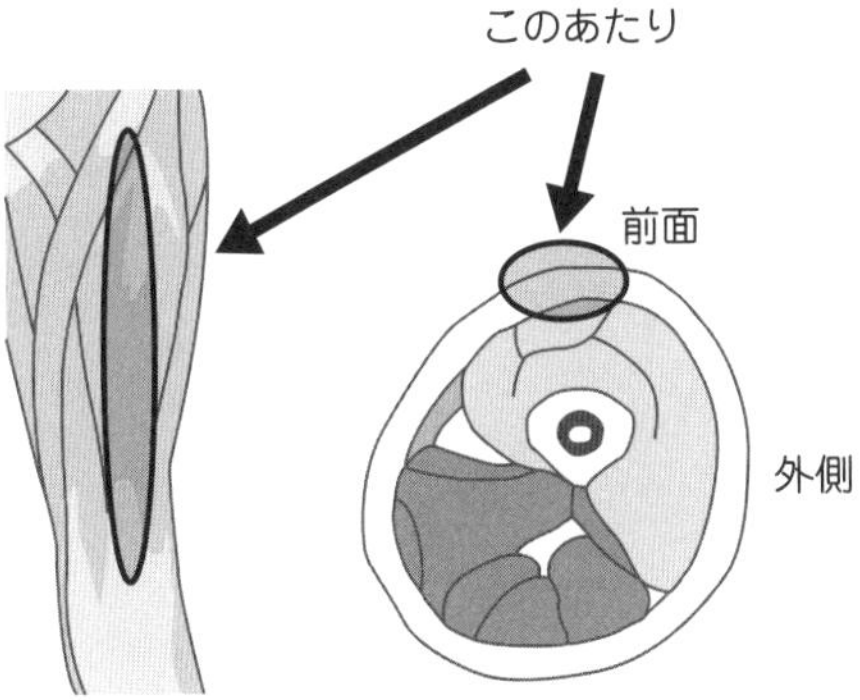

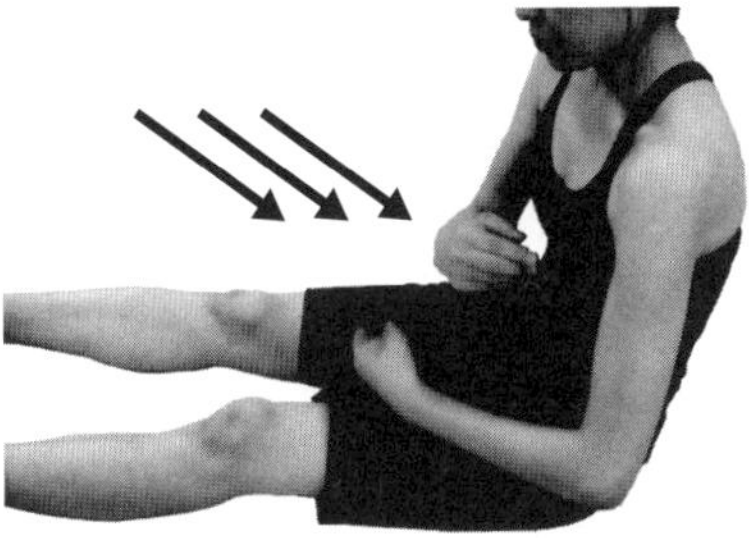

C-3　腸骨のねじれを調整する準備①

次に、腸骨のねじれを調整するための準備に入りましょう。

まず、仰向けに寝て、足をそろえ、両肩を床に付けます。

両ひざを立てて、直角に曲げます。

腰やお尻に痛みを感じるか確認するために、一度、ひざを左に倒してみてください。

両肩は必ず床に付けたままで。お尻が浮き上がってもかまいません。

腰に痛みを感じなければ、ひざをそのまま床に付けてください。痛みを感じる場合は、痛みを感じる手前で止めてください。

図31

同じように、右側へも倒します。

左から右に移動するときに動作を止めず、一秒間隔でスムーズにひざを戻します。

左右一回ずつを一セットとし、これを連続して二〇セット行ないます（図31の①～④を二〇回）。

連続して続けるのが無理な場合は、休みながら行なっても結構です。

この動作は、一日二回までとします。

C-4 腸骨のねじれを調整する準備②

腸骨のねじれを調整するための準備をもう一つ、ご紹介します。

基本的にはC-3と同じ動きですが、異なるのは、足を開いて行なうところです。

C-3を行なったあと、足を肩幅に広げます。

両ひざを立て、直角に曲げます。

両肩は床から離さずに、痛みを感じないところまで、足を左側に倒します。

そのまま動作を止めずに、一秒間隔で体を戻します。

そのまま同様に、右側へも足を倒します。

図32

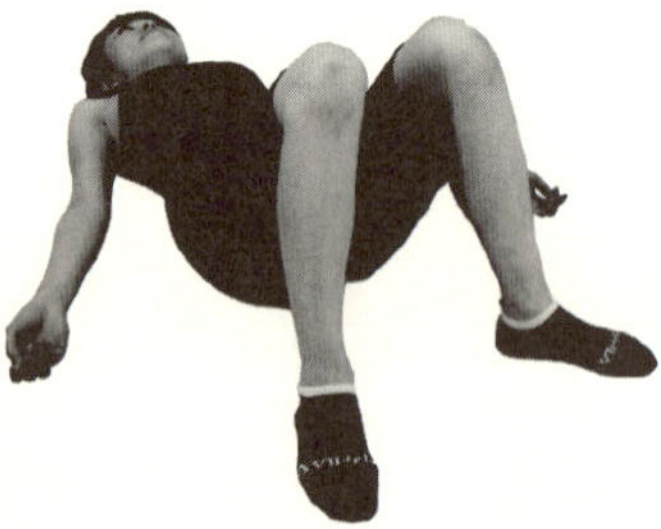

1秒程度

このあと同様に、反対側にも倒す

左右一回ずつを一セットとし、これを連続して二〇セット行ないます。
連続して行なうのが無理な場合は、休みながら行なってください。
頻度は、一日二回までとします。

C-5　腸骨のねじれを調整する①

準備を終えたところで、腸骨のねじれを実際に調整していきましょう。

これも、両足とも行ないます。痛みが強いほうの足から行なうと効果的です。

まず、腰の痛みが強いほうの足を下にして、痛くない側の足を組みます（図33の場合、痛いのは左側）。

両肩は床から離さずに、全身の力を抜いて足を倒し、三〇秒間止めます。

三〇秒たったら足を戻し、一五秒休みます。

同じ動作を繰り返し、三回行なってください。

図33

このあと同様に、反対側の足も行なう

それが終わったら、反対側の足も同様に行ないます。

一回終わるごとに足がより倒れやすくなりますので、痛みを感じる手前まで、できるだけ倒してください。

力を抜いた状態で足を倒す際に、痛みを感じる場合もあります。この場合は、足の下にクッションなどを入れて行なってください。

頻度は、一日に二回までとします。

C-6　腸骨のねじれを調整する②

腸骨のねじれを調整する方法を、続けていきましょう。
仰向けになり、両肩・おしりを床に付けます。
腰がより痛い側の足をはじめに行ないます（仮に左足として説明します）。
左足首の外側のくるぶし部分を、右足のひざの上に乗せます。
全身の力を抜き、左足のひざを、床に付けるように倒します。
床にひざは付かないと思いますが、そのまま全身の力を抜き、三〇秒待ちます。
三〇秒たったら足を伸ばし、一五秒間、休みます。

この動作を、三回行なってください。
終わったら、反対側の足も同様に行ないます。
一日二回以上、行なってはいけません。

図34

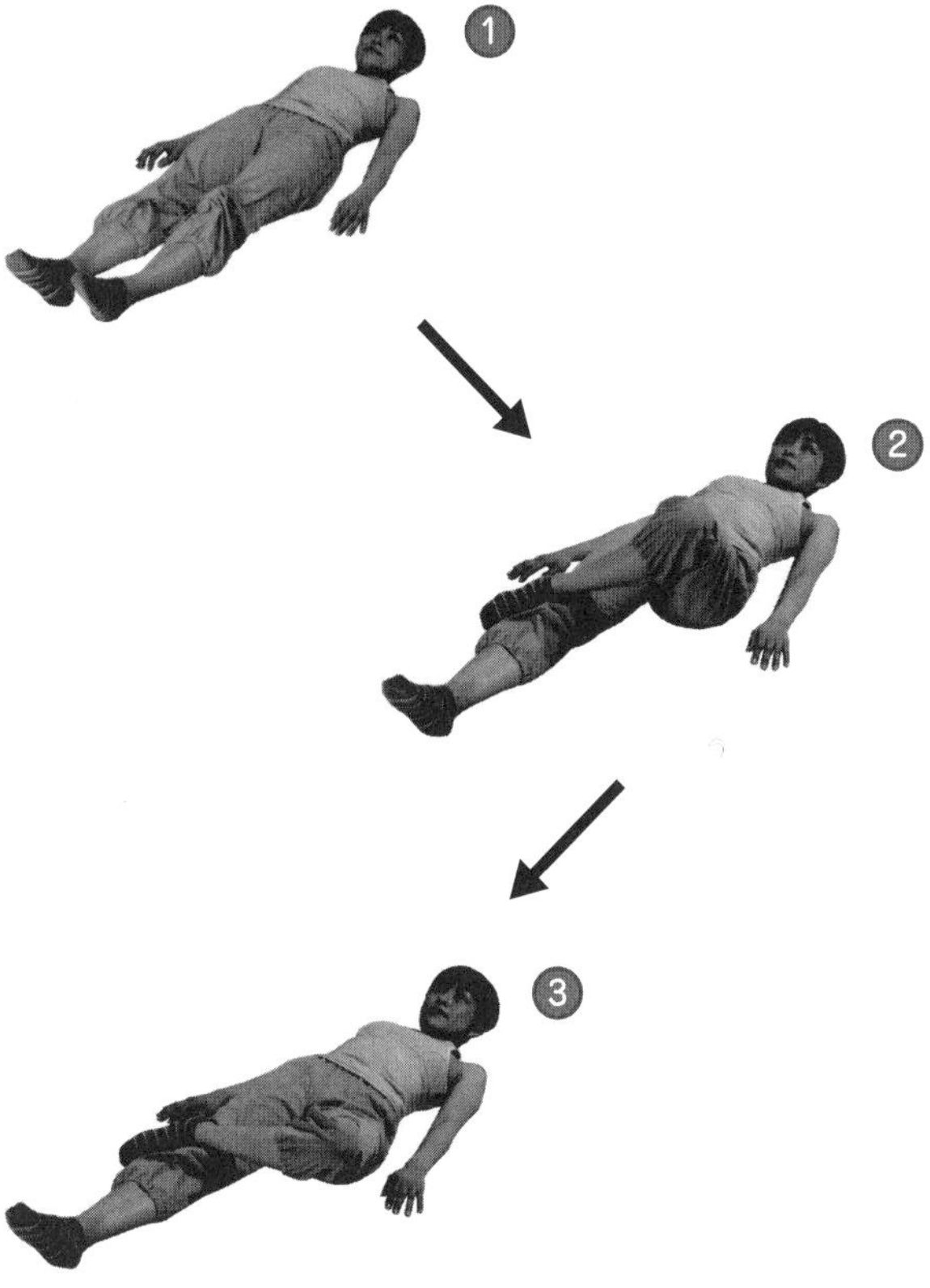

C－7　腸骨のねじれを調整する③
C－8　腸骨のねじれを調整する④

C－3からC－6までの腸骨のねじれの調整で、骨盤の歪み（ねじれ）を正しい位置に戻しました。

ここで、仰向けになって、改めて両足の開きを確認してみてください（115ページの図27参照）。足の傾きが同じであれば、腸骨が正しい位置に戻ったということです。

腸骨のねじれが戻っていない場合には、「C－7　腸骨のねじれを調整する③」、「C－8　腸骨のねじれを調整する④」という方法もありますが、ご紹介したC－1からC－6を行なえば、ほとんどの方は骨盤の調整ができますので、本書では紙幅の関係で、紹介を省かせていただきます。

さて、ここまでやってみて、骨盤のズレやねじれをうまく調整できましたか。

できても、できなくても、今回はここでひとまず終了。おつかれさまでした。

うまく正しい位置に戻すことができなかったとしても、一日二回が限度ですので、無理に回数を重ねないでくださいね。

腸骨のズレやねじれが大きい場合、一回では戻らないことがあります。その場合は、次の日に同じことをやってみてください。日を重ねて行なっていくことで、腸骨のズレやねじれは少しずつ戻っていきます。

完全に戻らなくても、心配はしないでください。少しずつでも傾きが戻ってくれれば、問題はありません。

腰痛を治せば、運動能力がアップする

今まで、筋肉の構造から筋肉を解明し、次の三つのことに成功しました。

①　動かさずに硬くなった筋肉を軟らかくする方法（無緊張状態）
②　筋肉の傷の再生（古傷が痛む、手術後の癒着を外す）
③　薬などで壊れた筋肉の再生（筋肉の石灰化・骨化を正常に戻す）

緩消法は、筋肉を軟らかくすることで薬や道具を使わずに痛みを消し、また、血流も改善できる方法です。今まで治らなかった病気も、高い確率で治っていくことがわかっています。

また、筋肉を弛緩《しかん》させて筋肉内から老廃物や乳酸を排出し、筋肉を無緊張状態にすることができます。無緊張状態になっても筋線維が減るわけではな

く、筋力が衰えるわけでもないので、スポーツ選手のパフォーマンス向上には最高の方法といえます。

現在、緩消法によるスポーツ選手のパフォーマンス向上がどれだけのものになるのか、データを取り始めています。これが将来、日本を代表するスポーツ選手たちにも活用され、お役に立つことができるとしたら、これほどうれしいことはありません。

もし緩消法を学びたいという医療関係者さまがいらっしゃれば、定期的に緩消法の技術提供を行なっていますので、ホームページ（http://www.471203.com）をご確認いただき、お問い合わせください。

471203　検索

前人未到　国際大会5連覇達成

氏名　鬼柳一宇　　年齢　71才
住所　岩手県花巻市　　職業　柔道家

私は講道館6段の柔道家です。怪我の後遺症で右足腰痛を併発し、起床後の布団の始末すら支障を来たす状態になりました。これから脱出すべく整形外科、カイロプロテック、整骨院など試みましたが、全く駄目でした。

止むを得ず鎮痛剤を服用しながら、インターネットで探り当てたのが「腰痛緩消法」です。当初は要領を得ませんでしたが、秋田の指導会に参加し、直接指導を受け急速に回復し、激しい稽古が可能になりました。

これにより第10回世界マスターズ柔道選手権（ベルギー）で初優勝し、ドイツ～ハンガリー～カナダ大会を連覇し、昨年の第1回アジア選手権を制し、国際大会5連覇を果たしました。多くの選手が怪我により消え去る中、私は坂戸先生との出会いにより復活出来ました。この緩消法の更なる普及により、多くの人々が腰痛苦から解放される事を祈念申し上げます。

第5章

腰痛になりやすい人、なりにくい人

腰痛になりやすい人、なりにくい人

世の中には腰痛で苦しんでいる人がたくさんいますが、そのかたわらで、いまだかつて腰痛になったことがないという人もいます。

いったい、そのちがいはなんなのでしょうか。

これまで幾度となく述べてきましたが、痛みの原因は、筋肉の緊張です。したがって腰痛の原因は、腰の筋肉の緊張です。

腰痛になりやすい人となりにくい人のちがいは、腰の筋肉が緊張するような行動や生活習慣があるか、ないかです。

筋肉を緊張させる原因は、次の三つでした。

①筋肉を動かすことによる緊張
②筋肉を動かさないために起こる緊張
③骨格の歪みによる、筋肉の緊張

①は筋肉を「筋力以上に動かしたとき」に緊張します。
②は筋肉を「動かさないとき」に緊張します。
③は筋肉に「耐える力が働いたとき」に緊張します。

ですから、腰痛になりやすい人は、①、②、③のいずれかを、私生活で頻繁に行なっているために、腰痛になりやすいのだといえます。

動かしていないのに、腰が痛くなる……？

腰痛になりやすい人のほとんどは、②の筋肉を動かさないときに緊張するパターンか、③の筋肉に耐える力が働いたときに緊張するパターンです。
それでは普段の生活で、②の筋肉を動かさないときに緊張する動作とは、どのようなものなのでしょうか。

たとえば、デスクワークが多く、毎日、数時間は座りっぱなしだという方も多いと思います。**座りっぱなしですから、当然、腰の筋肉を動かすことはほとんどありません。**このような方の腰痛は、まさにこれが原因です。

腰痛になる人には、腰の中心に近いところに必ず、筋肉を動かさないときに緊張した状態の筋肉があります。次ページの図35でいうと一番色が濃い部分です。

筋肉細胞は、老廃物を静脈に排出しますが、心臓のポンプの力だけでは静脈の血液を送ることができません。筋肉を伸縮させることで、血液を送って

図35

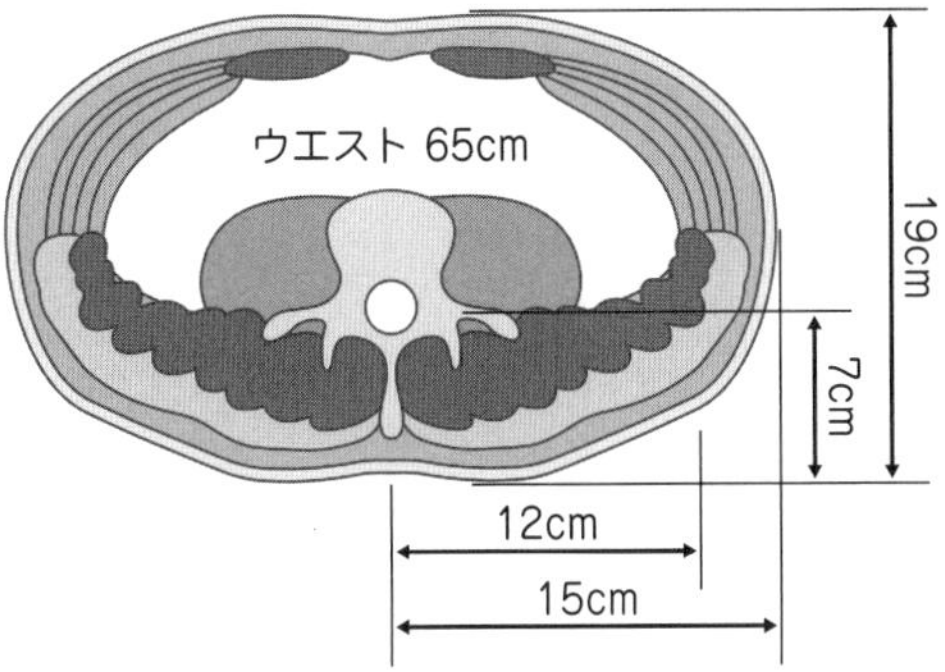

いるのです。

筋肉を動かさないと、筋肉の老廃物や乳酸を排出できなくなってしまうため、筋肉が緊張し、痛みとして感じるようになるのです。

そして、緊張した筋肉が腰の中心から12㎝以上の幅になったとき、腰・でん部・足に、痛みやしびれを感じ始めます（筋肉が断裂した場合の痛みは別です）。

毎日、腰痛で苦しんでいる患者さんの多くは、この状態にあるといえます。

何気ない動作が、腰痛を生む

それでは次に、③の筋肉に耐える力が働いたときに緊張する動作とは、どのようなものでしょうか。

日常生活では、前かがみになったり、座ったり、物を持ち上げたりと、いろいろな姿勢をとりますね。実は、これら一つひとつの姿勢を続けているだけで、腰の筋肉に「耐える力」が働くのです。

各動作によって、どれくらい腰の筋肉に耐える力が働くかを測ったデータがあります。椎間板にかかる圧を測定したものです。

図36をご覧ください。正しい姿勢の圧を100とした場合の、そのほかの姿勢のときにかかる圧をグラフで示したものです。

座ってものを持ち上げるときの圧が275ですから、正しい姿勢で立って

図36 椎間板内圧の変化

正しい立ち姿勢を100とした場合（Nachemson, 1976）

いるときの2倍以上も圧がかかっているわけです。

寝ているときの圧は25ですから、寝ているときは立っているときよりも腰に負担がかかりにくいのですね。

このそれぞれの圧を腰の筋肉で耐えることにより、椎間板が飛び出すことを防いでいるのです。したがって、耐える時間が長く続けば、腰の筋肉が緊張し、痛みが出てくることもあります。

したがって、このパターンの腰痛にならないためには、**不自然な姿勢を長時間とり続けることを、意識的に避けましょう。**

左右対称の生活が、腰痛予防には最適

私はよく患者さんに、**「左右対称の生活をしてください」**とアドバイスします。

腰痛になりやすい人は、②筋肉を動かさないときに緊張する、③筋肉に耐

える力が働いたときに緊張する、行動を私生活で多く行なっている人でしたね。

筋肉を緊張させる動作とは、具体的には次のようなものです。

- 椅子に座るとき、足を組む
- 立っているときに、片足だけに重心を置いている
- 床に座るとき、左右対称でない座り方をしている
- ＴＶを見るとき、片側から見る。寝ながら見る
- かばんを片方の肩だけにかける。片方の手だけで持つ
- ボールを蹴るとき、投げるとき、利き足や利き腕だけで行なっている

左右どちらかだけの筋肉を使っていると、左右で頻繁に動かす筋肉と動かさない筋肉ができてしまいます。動かさないほうの筋肉は、老廃物の排出がうまくいかず、緊張が増していきます。

片側の筋肉だけが緊張すると、片側の筋肉だけが縮むことにより、骨格が歪んでいきます。すると歪みを抑えようと、歪んだ骨格の周辺の筋肉は耐える力を働かせ、筋肉はさらに緊張するという悪循環に陥ります。

できる限り、左右対称になる生活を心がけることにより、腰痛になりにくい体質をつくっていきましょう。

スポーツの後に痛みが出やすい人

スポーツをしたあとに腰が痛むという方もいます。この場合、①の筋肉を筋力以上に動かしたときに緊張するパターンにあたります。いわゆる筋肉痛ですから、そのままほうっておいても、三、四日もすれば痛みは消えていきます。

筋力以上に筋肉を動かすと、筋肉に乳酸が滞るため、痛みが出てきます。

このパターンの腰痛を起こさないためには、**その運動に必要なレベルまで、**

筋肉を鍛えるしか方法がありません。無理のない範囲で、筋力トレーニングを始めてみてはいかがでしょうか。

このパターンの腰痛であっても、痛みがひどくて困ったときは、腰痛緩消法を行なえば痛みは消えます。

「正しい姿勢」＝「きれいな姿勢」ではない

これまでにも述べてきましたが、正しくない姿勢でいると、腰の筋肉に耐える力が働きます。したがって、腰痛を起こさないためには、できるだけ正しい姿勢でいるのがいいのです。

しかし、正しい姿勢って、いったいどんな姿勢なのでしょう？

「胸を張って、背筋を伸ばして！」

よく、小学校などの教育現場では、このような言葉を耳にします。

しかし、必ずしも「正しい姿勢」＝「きれいな姿勢」ではないのが、頭の痛いところです。

姿勢をきれいに見せようとするとき、多くの人は胸を張ります。しかし、胸を張ると腰の筋肉に耐える力が働き、腰の筋肉はさらに緊張して、これを長時間続けると、痛みが出てきます。

ですから、**見た目がきれいだからといって、それが必ずしも正しい姿勢であるとはいえません。**

正しい姿勢を**「腰に負担のかからない、痛みの出ない姿勢」**と定義すると、頭のつむじに糸をつけ、真上から引っ張られているように立った姿勢が、本当に正しい姿勢です（図37）。

体のバランスが取れ、一番、腰まわりに負担がかからないのです。

モデルや客室乗務員、サービス業に携わる人などは、仕事柄、胸を張っていることが多いと思います。女性の場合は、ハイヒールを履いていることも多いでしょう。

　ハイヒールを履くと、どうしてもつま先に体重がかかってしまうので、腰はさらに前彎《ぜんわん》し、腰の筋肉に余計に耐える力が働きます。これでは、いずれ腰痛が持病となっても、不思議はありません。

　女性の場合、仕事上、ハイヒールを履かざるをえないこともあると思いますが、できるだけ控えたほうが、腰のためになります。最近はビジネスの場でも履けるデザインで、ローヒールの靴もたくさん出ていますので、そちらを履くことをおすす

図37

頭のつむじに糸をつけ、
真上に引っ張られている
ようなイメージで立ちましょう

めします。

胸を張って腰をそるのではなく、腰にとって「正しい姿勢」を意識してください。

背筋ピーンが、腰痛を大量に発生させる⁉

姿勢を矯正するバンドや、姿勢を補正する下着は、昔からよく売られています。最近では、ランドセルにも背筋を強制的に伸ばす商品が販売されているのですから驚きです。

矯正バンドを身につけると、常に背筋を伸ばしているので柔軟性にかけ、逆に腰を痛めることにもつながります。また、補正下着も体をしめつけるので血行を阻害し、けっして体にいいとはいえません。

また、ランドセルはもともと背中に重心がかかるものですから、背筋を伸ばすことを強制して腰が前彎すると、腰の筋肉に耐える力が働き続けてしまいます。結果、腰に痛みが出るようになってしまいます。

子どもたちがシャキッと胸を張って登下校している姿は見ていて気持ちのいいものですが、子どもたちの腰の筋肉は、登下校中、常に耐える力を働かせ、緊張し続けてしまいます。これでは、腰痛を訴える子どもたちが激増してしまいます。

姿勢を矯正するグッズにむやみに頼るのは、あまり賢い方法ではありません。

まずは適度に体を動かし、緊張した筋肉から老廃物を排出するように心がけることが一番でしょう。

妊婦になると腰痛を発症する理由

おなかに子どもを身ごもった妊婦さんは、体の中心より前に重心がかかるようになります。

背骨を常に反っている状態は、腰の筋肉が耐える力を常に働かせるので、大きな負担がかかります。体を反る体勢が続くのですから、腰痛になるのは当然です。

この場合、背骨を反らして立っている時間を短くするのがいいのですが、**軽く前屈姿勢を取るように意識するだけでも、かなり改善されます。**

無理な前屈は、胎児に負担がかかるので、軽く行なってください。

また、腰が痛くなったときは、腰痛緩消法を無理のない程度で行なえば痛みは消えますので、ご安心ください。

出産前になると、骨盤を緩めるためのホルモンが分泌されます。骨盤を緩めないと赤ちゃんを出産できないためで、これは自然の摂理です。

産後は骨盤が開くため、骨盤が歪んだまま、正常に戻らないことが多々あります。そうすると、腰痛が出る場合もあります。

骨盤を元に戻すのは、第四章の腰痛緩消法で可能ですので、実践してみて

ください。

腰痛にならない寝具や、寝るときの姿勢ってあるの？

多くの人が、毎日六時間以上の睡眠をとっていると思います。六時間も寝たままで体を動かさないと、筋肉は緊張してしまいます。

しかし、睡眠中も筋肉からは老廃物が排出されますので、筋肉を緊張させないでおく必要があります。そのため、人は寝返りを打つようにできているのです。

子どもは大人よりも、頻繁に寝返りを打ちますね。これは、成長過程にあって筋肉細胞の代謝が大人よりも早いので、頻繁に寝返りを打って、筋肉から老廃物を排出させる必要があるからです。

さて、「朝起きたときが、一番腰の痛みが強い」と訴える人も少なくありません。こういった場合、寝具を見直すことが必要です。

硬すぎる寝具で長時間寝ていると、体重で筋肉が圧迫され、血行不良を起こすことがあります。うっかり床で寝てしまって、床と接触していた箇所が痛み出すのも、これと同じ理由です。したがって、硬すぎる寝具はよくありません。

逆に、柔らかすぎる寝具を使用すると、体が寝具に埋もれて、寝返りが打てない状況になります。最近は低反発のマットレス寝具が多く出回っていますが、体が寝具に沈んでしまって寝返りが打ちにくいものもあるので、あまりおすすめはしません。

私がすすめているのは、10㎝程度のクッション材（マットレスなど）の上に布団を敷くことです。これだと十分、寝返りが打てます。自分で選ぶのはなかなか難しいと思いますが、硬すぎず、柔らかすぎない寝具をおすすめします。

寝るときの体勢は、楽に寝られれば、それが一番いい体勢です。

本来は仰向けの姿勢が、腰の筋肉に一番負担にならないのですが、腰痛が少しでもあると、仰向け状態が逆に腰痛を悪化させてしまうこともあります。

人間の体は睡眠中に自然と寝返りを打ち、一番よい状態になるようにできていますので、無理に仰向けに寝ることはありません。むしろ、それでストレスを感じたり、寝つけなくなったり、血流が悪くなったりすると、腰に悪影響を及ぼします。

寝るときは、自分が一番楽な姿勢で寝ましょう。

腹筋や背筋は、無理に鍛えなくても大丈夫

腰痛を訴えて、「腹筋・背筋を鍛えるように」と、医師や治療家などに指導された方も多いと思います。

実は、私にも、筋肉が弱いから筋肉を緊張させてしまうのだと考えていた時期がありました。多くの治療家からも、腹筋や背筋を鍛えることを指導されました。

しかし、**鍛えるために運動をして、さらに腰痛を悪化させてしまった**ことは事実です。無理に動き続けて、三〇歳のころには動けなくなってしまいました。

当時は、筋肉の低下＝腰痛と考えていましたし、素直な気持ちで指導を受けた結果、悪化を招くことになりました。

現実問題として、年を重ねながら、いつまでも腹筋や背筋を鍛え続けるのは、不可能かと思います。

高齢の腰痛患者に「腹筋や背筋を鍛えろ！」とはさすがに言えませんし、仮に腹筋や背筋を鍛えても、腰痛を治すことにはなりません。

腰周辺の筋肉を鍛えると、腰に耐える筋力が付きますので、腰痛になりにくくなることはたしかです。しかし、一般の人より鍛え抜かれたプロスポーツ選手でさえ、**筋力がいくらあっても、筋肉が緊張して痛みを感じることはあるの**です。腰痛に悩んでいるスポーツ選手もたくさんいます。

ですから、鍛えることよりも先に、筋肉を緊張させない、また、筋肉を軟らかくすることが、腰痛にならない秘訣です。

20年続いた手首の痛みが2分で消えた

氏名　三井昭江　　年齢　40才

住所　長野市　　職業　美容師

今から20年前、美容師の専門学校で、毎日、毎日練習をしていたために手首が痛みはじめ、医者に行ったところ腱鞘炎と診断されました。整形外科や整骨院に行って、湿布をしたり、電気をかけたり、時には注射をしたりしてみましたが、痛みはとれませんでした。何年かはありとあらゆることをしましたが、治らないのであきらめていました。痛みがある中仕事を続けていました。そんな時　手首の腱鞘炎の本があると知り、もしかして治るかもという思いでためすことにしました。話を聞き、やり方を教えてもらいながら手を取ってやってもらうと、痛みがなくなったのです。びっくりしました。時間にして2～3分でした。自分で治せるやり方なので、他の場所もやってみたいと思います。本当に感謝です。ありがとうございました。

第6章

体の痛みの原因と仕組み

人間は生きている以上、多かれ少なかれ、体のあちこちに痛みが出てくるものです。

この章では、腰痛以外の痛みの原因と仕組みを、簡単にご紹介したいと思います。

腱鞘炎《けんしょうえん》

筋肉が骨と接続されている部分を腱と呼びます。

手首や手の指を、筋力以上に動かすと、筋肉が緊張し、筋肉内に老廃物や乳酸が滞り、痛みが出ます。

痛みを消すためには、筋肉内から老廃物や乳酸を排出しなくてはなりません。そのためには、筋肉を自然に伸縮させる必要があります。しかし、**腱鞘炎になると腱の部分は、ほとんど伸縮しない**のです。

簡単に説明すると、次のような仕組みです。

筋肉に緊張成分が滞留し、痛みが生じているにもかかわらず、筋肉が大きな収縮運動を繰り返していると、腱にまで緊張成分が滞留してきます。

痛みが強いため仕事を休んだり、スポーツを休んだりして、痛みを感じない程度に筋肉の運動を控えていると、伸縮できる筋腹に近い側から、緊張成分の排出が行なわれます。

しかし、筋肉内の緊張成分がほとんど排出された後でも、腱には緊張成分が残ってしまいます。したがって、この状態では腱の部分だけに痛みを感じています。腱鞘炎の手首の痛みのほとんどが、この状態です。

「腱鞘炎の原因」は、大きく分けて三つあります。

図38

筋腹・筋頭・筋尾・腱の筋肉全体が緊張した場合

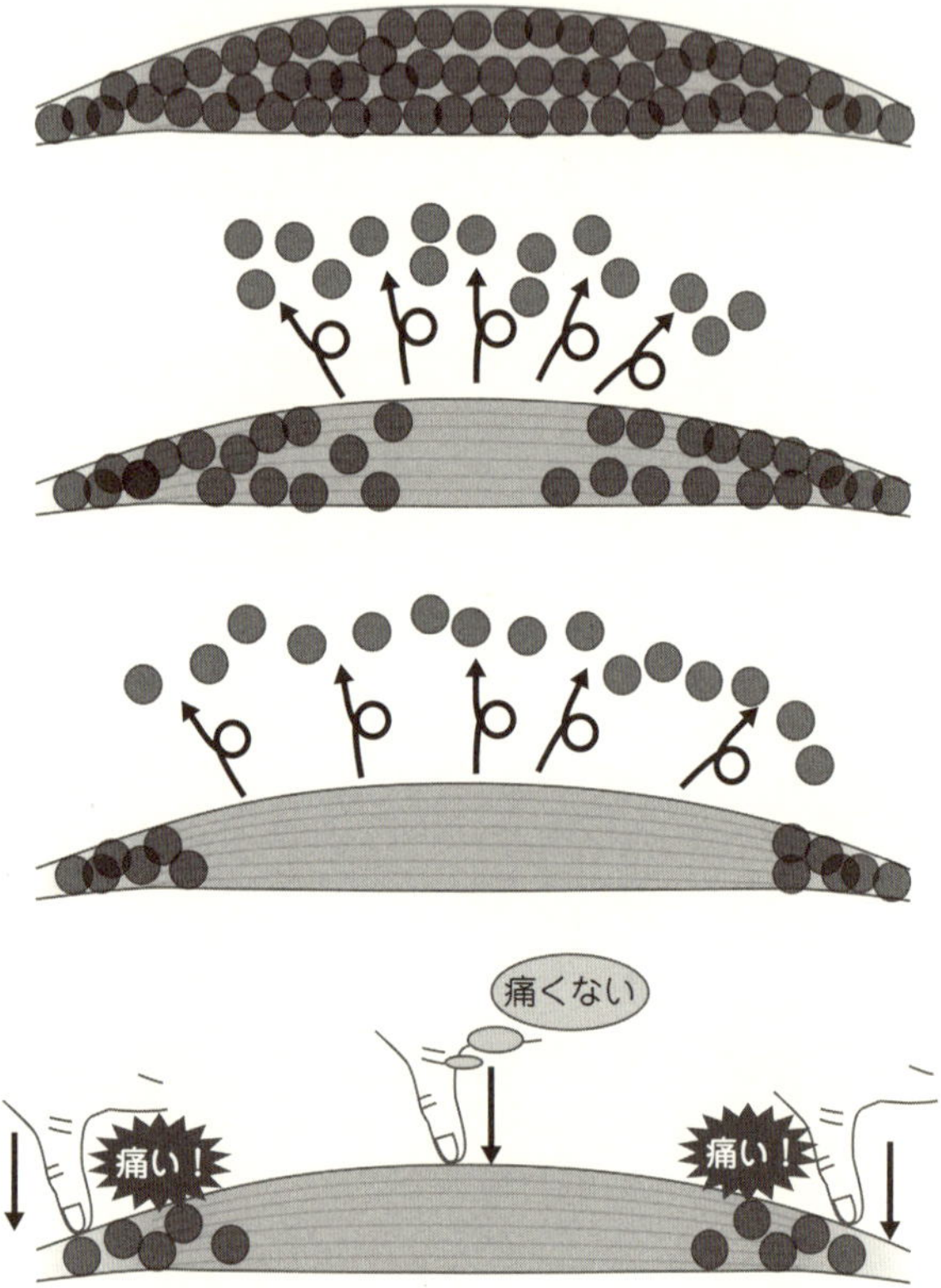

1　老廃物の滞留からの、腱の肥大による炎症
2　腱の緊張状態による、血行不良
3　肢帯と腱鞘、腱と腱、腱と腱鞘、腱と筋肉、骨と腱の癒着

細かく分ければほかにもありますが、この三つが主な原因です。いずれも原因が特定できていますので、この原因を取り除けば、痛みは消えます。

片頭痛（偏頭痛）

一般的に片頭痛といわれるものには、群発頭痛、偏頭痛、緊張型頭痛（肩こり頭痛）があります。

これらの痛みは、頭に酸素や栄養を送るための血流が不足して起こっています。血流不足は、血管が圧迫されることで生じます。

これは、**首の筋肉を軟らかくすることで解消できます**（図39参照）。そうすると頭部に血液が送られるので、痛みが消えるのです。

図39

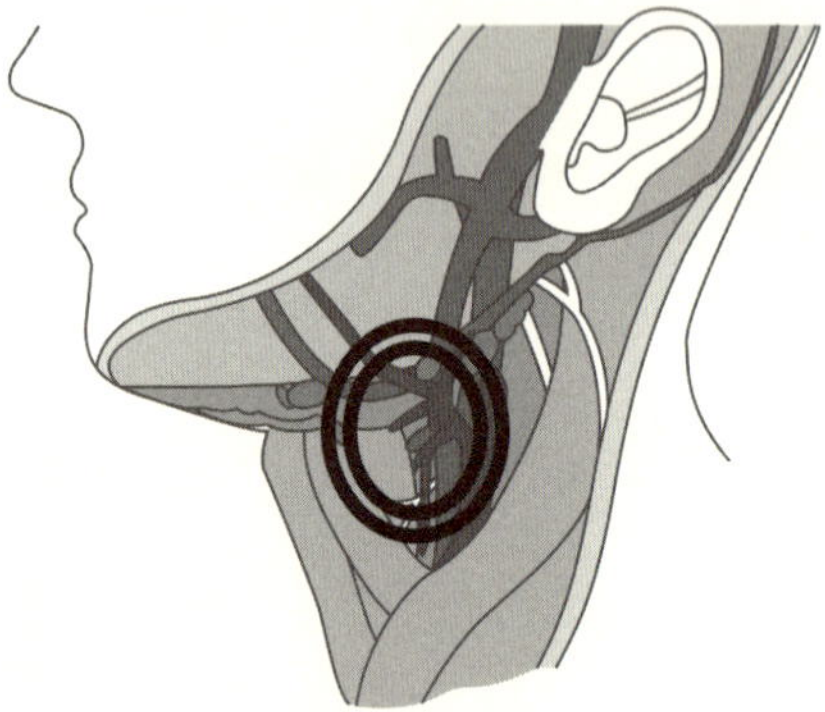

ひざ痛

成人が、ひざの痛みを訴え、病院で診察を受けた場合のほとんどが、変形性ひざ関節症と診断されます。

子どもが、ひざの痛みを訴え、病院で診察を受けた場合のほとんどが、オスグッド病（成長痛）と診断されます。

変形性ひざ関節症とオスグッド病（成長痛）の原因は同じですが、ひざが痛くなる仕組みが少し複雑ですので、簡単に説明します。

病院でレントゲンを撮った場合、関節の間が狭く映っています。

これは、ひざの下にある脛骨という骨が上にズレており、関節の軟骨が減っている状態です。

そのまま放置しておくと、いずれ、骨まで削れてしまいます。したがって、今以上に関節の間が狭くならないように、ひざ関節周辺の筋肉は、耐える力を働かせ続けます。耐える力を働かせ続けた筋肉は緊張しますので、痛みが出てくるのです。

ですから、軟骨が減っているから痛みが出ているのではなく、関節の間を狭くしないように、筋肉ががんばって耐え続け、筋肉が緊張しているから痛みが出ているのです。

軟骨を補充しなくても、ひざ周辺の筋肉を軟らかくするだけで、まずは痛みが消えます。

そして、脛骨が上がってしまっていることが痛みの根本原因ですから、脛骨を下に下げなくてはいけません。

脛骨は、骨盤の腸骨が上がることによって、上がっています。**ひざ痛の場合、腸骨を下げれば脛骨も下がりますので、痛みが消えます。**第四章の「腰痛緩消法」を、参考にしてみてください。

図40

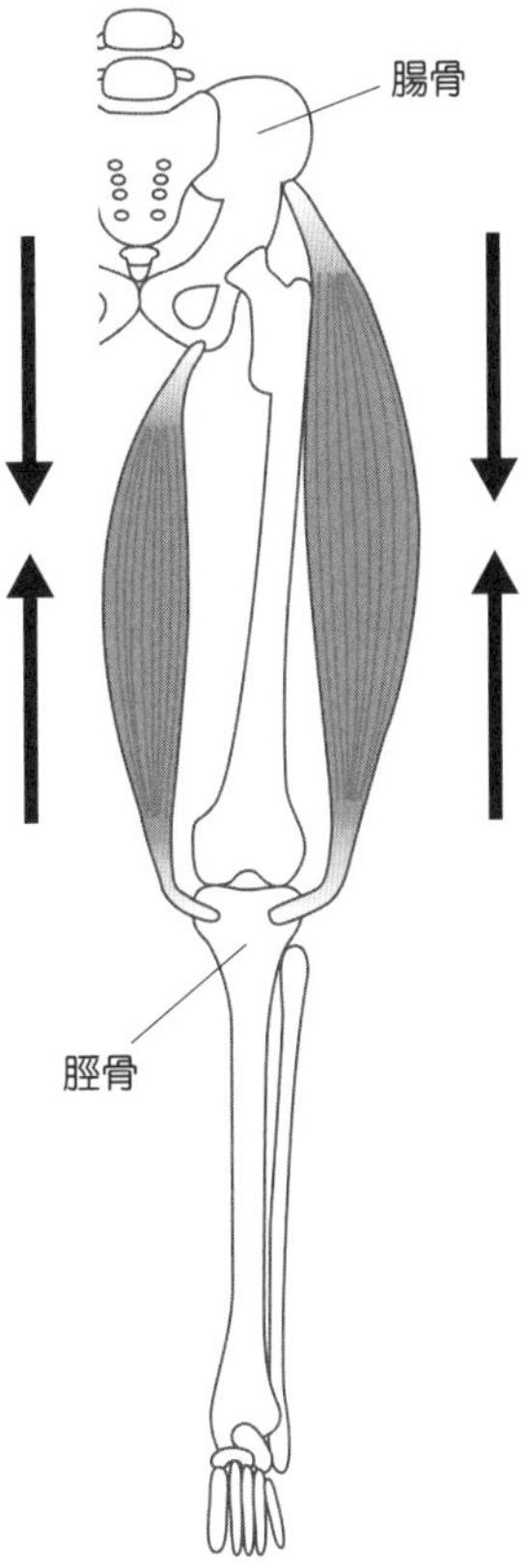

肩こり

肩こりは、筋力以上に肩の筋肉を使いすぎた場合にも起こりますが、肩こりに悩む多くの方は、慢性的に肩がこっているのではないでしょうか。

慢性的な肩こりは、肩の筋肉が緊張し続けていることが原因ですから、筋肉を軟らかくすれば痛みは消えます。

そもそも肩の筋肉がなぜ緊張してしまうかというと、腰の筋肉が緊張することで、肋骨が下に下げられ、肋骨周辺の筋肉に耐える力が働くことが原因なのです。

これを繰り返すと、肩の筋肉まで緊張して、慢性的な肩こりになってしまうのです。

したがって、**第四章の腰痛緩消法で腰の筋肉の緊張を取ることも、慢性的な肩こりを緩和させる一助になります。**

図41

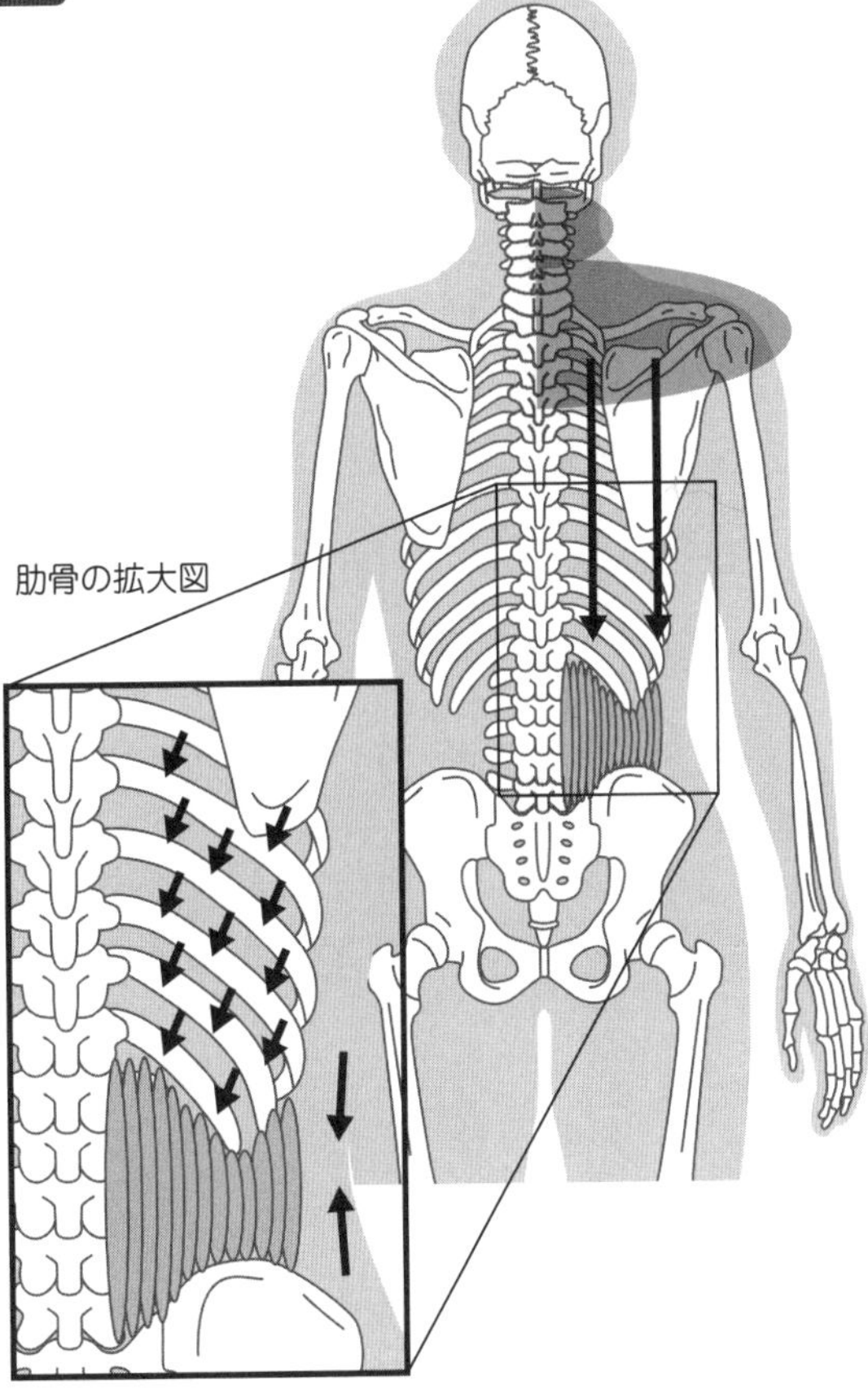

ひじ痛（テニスひじ・ゴルフひじ・野球ひじ）

スポーツを行ない、腕全体が筋肉痛になった場合、腱鞘炎と同様、筋肉から老廃物や乳酸が排出されます。最後に排出されるのは腱の部分です。

ひじには肩からひじまでの筋肉と、ひじから手首までの筋肉運動を伝える腱があります。

老廃物や乳酸を筋肉や腱から自然に排出するためには、伸縮運動を行なう必要があります。腱の部分はほとんど伸縮しないため、老廃物や乳酸が排出されず、どうしてもひじにだけ痛みが残ってしまいます。

この状態が、いわゆるテニスひじ、ゴルフひじ、野球ひじの原因です。原因がはっきりわかっていますので、原因を取り除けば痛みは消えます。

事故や怪我、ウィルスなどによる痛みを除けば、体中の筋肉の痛みは、ほぼ、筋肉の緊張が原因となって起きています。

腱鞘炎、片頭痛、ひざ痛、肩こり、ひじ痛なども、痛みが出る、もしくは痛みが残る原因がはっきりしていますので、原因を取り除けば痛みは消えるのです。

ですから、どこに行っても治らないと、不安になる必要、心配はいりません。

詳しくは、著者のオフィシャルサイト（http://www.471203.com）にも記載していますので、ネット環境のある方は、ご参考になさってください。

471203 検索

診断名：椎間板ヘルニア

氏名 佐久間 [illegible]　　年齢 42才

住所 東京都板橋区　　職業 主婦

平成14年の冬に腰の痛み、足のしびれになり、除々に肩、首など体全体が痛くなり、辛い日々が始まりました。整形外科ではシップ、痛み止め、など処方されましたが全く治らず……。また整体、カイロプラックティックへ行った回数と金額はかなりのものでした。そんな時にインターネットで坂戸先生の"腰痛克服バイブル"を見て、"自分で治せる！"という事で緩消法に参加してみました。硬くなった腰の筋肉を柔らかくする事で、したがって痛みやしびれなどが楽になってきた事に実感！今もまだ腰の痛みなどありますが、サポート体制がバッチリなのでやり方など教えて頂きながら今も頑張っております。坂戸先生にお会いでき、感謝の気持ちでいっぱいです。本当にいつもありがとうございます。また引き続き、よろしくお願い致します。

付録

ギックリ腰の応急処置

ギックリ腰で動けないときの応急処置(3分腰痛解消法)

ギックリ腰で動けない場合の応急処置として、骨盤にコルセットを巻く方法をおすすめします。

私は、二〇歳のころから三一歳のころまで、この方法を試し、痛みを我慢しながらでも動くことができました。

筋肉の緊張状態や位置によっても効果は異なりますが、ギックリ腰の九〇%以上には効果があり、動けない状態でもトイレぐらいには行けるようになりますし、また、まったく痛みが消えてしまうことさえあります。

原因のすべてを取り除く方法ではありませんので、あくまでも応急処置・改善方法として、覚えておいてください。

この応急処置では、コルセットを利用します。薬局などで売っている一般的なものでかまいませんので、ギックリ腰の不安がある方は、日ごろから用意しておいてください。コルセットがない場合は、タオルや帯でもかまいません。

① 骨盤部分にコルセットを巻きます。

② コルセットを、少しきつめに取り付けます。
(不安なときは、少しずつきつめに！)

③ コルセットを折りたたみます。

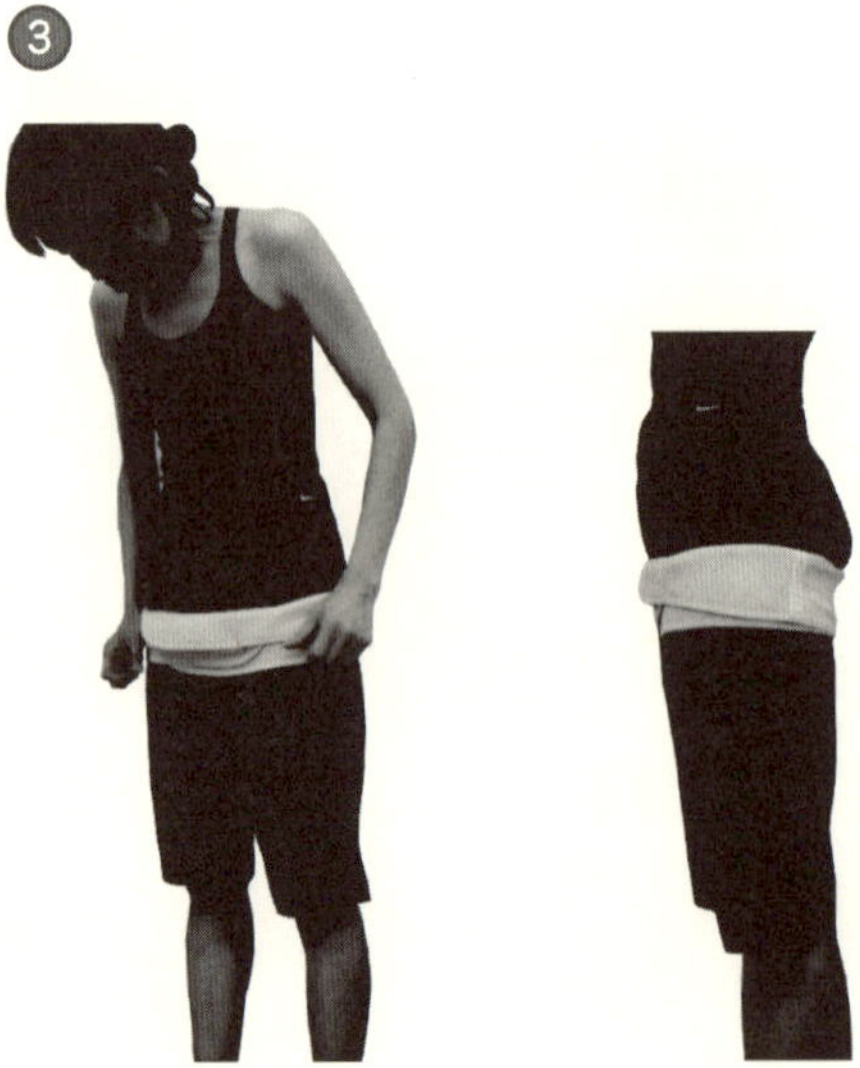

横から見ると、お尻の肉が盛り上がっている

図42

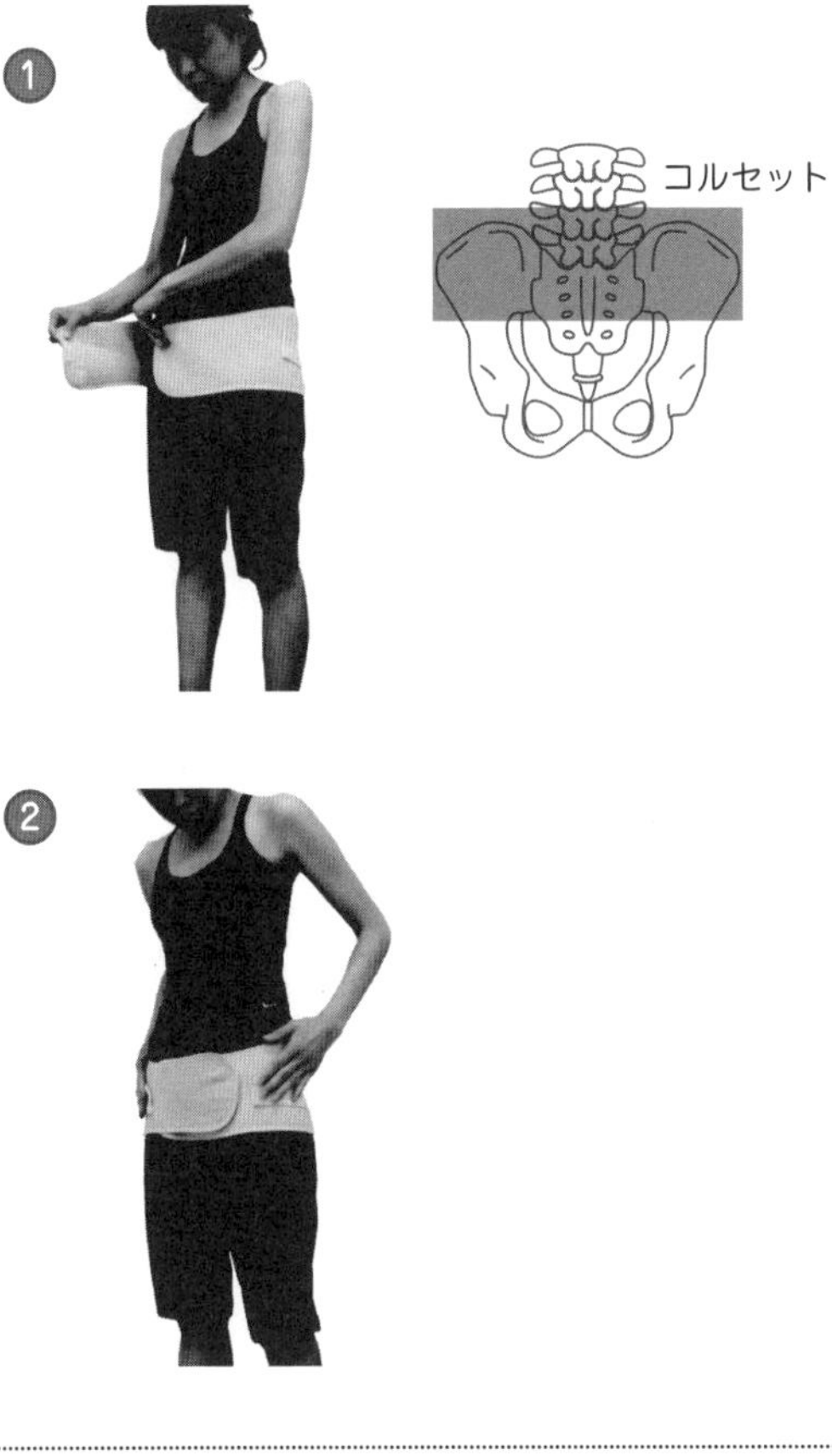

痛みがあまり変わらないときは、お尻側だけ上に動かしてください。ちょうど、痛みがやわらぐ場所があります。

この位置にコルセットを巻くだけで、痛みはすぐにやわらぎます。三分程度で痛みがかなりやわらぎ、日常生活にまったく支障のないようになる人も多いです。

現時点で歩ける状態なら、三〇歩程度、歩けるようになります。三日もすれば、走り回ることも可能になる人も多いです。

なお、三分とは、三分以内に痛みがやわらぐことで、三分コルセットをすればいいという意味ではありません。

また、「三〇歩」と書くと、「三〇分」歩けると勘違いしてしまう人もいますが、三〇歩ですので、おまちがえのないように。まったく動かなかったり、動きすぎることは危険という意味で、三〇歩と記載しました。

寝るときは、コルセットをきつくしめたままだと血行が悪くなるので、少し緩めにして寝てください。

痛みが軽くなりましたら、できるだけコルセットは外してください。

診断名：腰椎すべり症

氏名　橋田　規子　　年齢　54才

住所　東京都葛飾区　　職業　主婦

私が腰痛で酷かった時は仰向けになっても横向きになっても唸るほど痛く座っていられないので仕方なく立って食事をしていました。

整形外科で腰椎すべり症と診断され鎮痛薬を処方されただけで全く治りませんでした。

初めての学習会には杖をついて参加しました。それから腰痛緩消法に取り組み登山や全力疾走も出来るようになりました。腰椎すべり症と診断されたすべっていた（ズレていた）骨には一切触れず治さず坂戸先生の緩消法を自分でやることで回復しました。是非この腰痛緩消法を早速始めてみて下さい!!

先生はわかり易くていねいに指導して下さいます。腰痛で苦しんだことが嘘だったような痛みのない日々がおとずれます。

坂戸先生が研究して下さったお陰です。心より御礼申し上げます。

おわりに　なぜ「9割の腰痛は自分で治せる」のか？

最後までお読みいただき、ありがとうございます。
本書のタイトルは、なぜ『9割の腰痛は自分で治せる』なのか？
ここまで読まれてきて、「痛みは一〇〇％消える」と思われた方も多いと思います。なぜ、9割なのでしょうか？

二〇〇七年一一月より日本各地で腰痛緩消法を普及させるために、指導をしてきましたが、約五％の腰痛患者さんは、自分で治そうとせず、会場で座ったまま、参加者と話をしたままで、行動を起こそうとしませんでした。約二〇人に一人です。

あとの五％は、薬害などの影響で筋肉が壊れている患者さんです。その際には、個別の指導を必要とする場合があります。

現在（二〇一一年五月時点）、私が一人でも多くの方の腰痛を治すことを目的として主宰している「腰痛アカデミー※」には七〇〇〇人以上の会員がいますが、腰痛の原因である腰の筋肉が軟らかくなったにもかかわらず、痛みが改善しないと訴える方には出会ったことがありません。

「なかなか痛みが消えません」という方も当然、いらっしゃいますが、腰の筋肉を触ってみると緊張したまま、硬いままです。

腰痛緩消法は、腰痛患者が自分で治すことを目的として考案した方法です。

「腰痛の原因がわかった」としても、腰痛の原因を取り除く方法がない場合は治りません。

「腰痛の原因はわかった」、「その原因を取り除く方法もわかった」としても、自分で覚えて行なわない限り、腰痛は治りません。

そのため、日本各地で「腰痛の原因と、腰痛の改善・克服方法」と題して、体験学習会（無料）を開催しています。

腰痛で苦しむ時代は、すでに過去となりつつあります。

あとは、あなたが本気で治すために腰痛緩消法を覚え、実践されるかどうかです。何もしないままでは、悪化を許す一方です。ぜひ本書を参考にして、腰痛を治す一歩を踏み出してください。

もし、まわりにも腰痛で苦しみ、本気で治したいと考えている方がいらっしゃれば、この腰痛緩消法をご紹介いただければ幸いです。

今後も「痛みに苦しむ人を一人でも多く笑顔にする」ために、できる限りの努力をしていきます。

今までの研究・活動にご協力いただいた多くの方々に、また、本書を手にしていただいた読者の方々に、心より感謝いたします。

坂戸孝志

※「腰痛アカデミー」は、腰痛患者さんが、腰痛を自分で治すことを目的として開催しています。自分で腰痛を治す方法を覚える学校、と考えていただくとわかりやすいと思います。

「腰痛アカデミー」は会員制ですが、腰痛緩消法がより詳しく書かれたテキスト・DVDにてご自身で学習を深めて、腰痛緩消法を実践して腰痛を改善させ、克服していただきたいと思います。また、わからないことや、腰痛緩消法がうまくできない場合は、日本各地で個別サポートを開催して、一人ひとりに対応していますのでご安心ください。個別サポートの会場に来られない場合でも、メール・スカイプ・電話を利用して、腰痛緩消法を理解し、腰痛を克服していただくまで個別に対応しています。

詳しくは、ホームページ（http://www.471203.com）からご確認ください。

医師や治療家などの医療従事者には、腰痛緩消法の技術を習得していただくために毎月2回以上、セミナーを開催しています。腰痛緩消法の技術を習得した医療従事者による腰痛緩消法の体験もできます。腰痛緩消法の体験についても、ホームページ（http://www.471203.com）からご確認ください。インターネットを利用できない場合は、電話でのお問い合わせも受け付けています。ご関心のある方は、こちらまでご連絡ください。

腰痛サポートセンター

電話　〇三-三五八三-二七四七（平日九時から一八時）

＊水曜定休

471203 検索

坂戸　孝志（さかと　たかし）

生理学博士、腰痛克服アドバイザー、緩消法開発者、東京「痛みの専門院」院長、社団法人 日本健康機構 理事長、腰痛アカデミー主宰。

18歳のときに工事現場の事故にあい、長年激痛に苦しめられる。コルセットがないと動けない日々が14年間続き、オムツ生活も体験。総合病院や整体などの民間治療を渡り歩くも症状が悪化し、30歳のときにはほとんど寝たきりになる（病院での診断名は、『椎間板ヘルニア』『脊柱管狭窄症』など）。

「誰にも治せない痛みは、自分で治すしかない」と決心、「どうやったら痛みが消えるか？」を考え抜き、腰痛を一人で治す方法を開発。今ではスポーツも問題なくでき、講演で一日立ちっぱなしでも大丈夫なほどに回復。自分の体で実践した経験を活かして、病院から見放された腰痛患者に症状改善のための指導を行なう。会員制をとっており、会員数は7,000名超。

本書の内容に関するお問い合わせ先
中経出版編集部　03(3262)2124

中経の文庫

9割の腰痛は自分で治せる

2011年 6 月26日　第 1 刷発行
2011年11月21日　第10刷発行

著　者　坂戸　孝志（さかと　たかし）

発行者　安部　毅一

発行所　㈱中経出版
〒102-0083
東京都千代田区麹町3の2　相互麹町第一ビル
電話 03（3262）0371（営業代表）
03（3262）2124（編集代表）
FAX03（3262）6855　振替　00110-7-86836
http://www.chukei.co.jp/

DTP／マッドハウス　印刷・製本／図書印刷

ISBN978-4-8061-4095-5　C0147